W9-DDK-877

ICONOGRAPHIE MUSICALE

Collection dirigée par François Lesure

V

ASTROLOGIE ET MUSIQUE

Planche 1. - Astrologia et Musica. Detail des «Arts Libéraux» (voir page 10).

Albert P. de MIRIMONDE

ASTROLOGIE ET MUSIQUE

ÉDITIONS  MINKOFF

GENÈVE
1977

Du même auteur:

L'iconographie musicale sous les Rois Bourbons: La musique dans les arts plastiques.

Tome I. Les allégories - Les sujets antiques - Les sujets religeux - Les natures mortes à instruments de musique au XVII siècle - Musiciens isolés et portraits au XVII siècle - La Musique dans la société au XVII siècle - Editions Picard - 82 rue Bonaparte - Paris - 1975 - Ouvrage couronné par l'Académie des Beaux - Arts (Prix Paul Marmottant), en 1976.

Tome II. Les Natures mortes à instruments de musique au XVIII siècle - Musiciens isolés et portraits au XVIII siècle - La musique dans la société an XVIII siècle - L'Exotisme dans l'iconographie musicale - Les sujets de musique parodiques - Editions Picard - 1977.

ISBN 2-8266-0621-2

© 1977 Editions Minkoff, Genève

843179

LIBRARY
ALMA COLLEGE
ALMA, MICHIGAN

A la mémoire de mon Père et de ma Mère
qui ont émerveillé mon enfance en me contant les aventures
des héros et des dieux.

LES RAPPORTS DE L'ASTROLOGIE
ET DE LA MUSIQUE

Un des attraits de l'iconographie musicale est de faire revivre quelques grandes évolutions de la pensée humaine: un univers imaginaire reparaît alors. Pour tenter de résoudre les problèmes posés par le cosmos et par leur destinée, les hommes ont conçu parfois des systèmes grandioses et poétiques, se prêtant à d'admirables traductions plastiques. Pour comprendre les chefs-d'oeuvre qui en tirent leur origine, il faut remonter le cours des âges et retrouver les anciennes croyances. Les rapports entre l'astrologie et la musique en offrent l'occasion.

Au XXe siècle, un rapprochement entre l'astronomie et l'art sonore semblerait aberrant en raison des découvertes faites grâce aux méthodes rationnelles. Toutefois, le développement et la diffusion de l'esprit scientifique sont récents: ils remontent au XVIIe siècle et surtout au XVIIIe. Pendant des millénaires les hommes n'ont pas raisonné pour découvrir les liens unissant des causes et des effets, mais par analogies, pour rechercher des présages. Le cosmos était assimilé à un organisme immense dont toutes les parties étaient unies par des échanges incessants de forces connaissables ou mystérieuses. Les premières relevaient d'une étude préscientifique, les secondes de l'occultisme. Les unes et les autres étaient étroitement mêlées. Peu à peu, l'astronomie est née de l'observation du ciel et surtout du cours des planètes. De même, l'acoustique a été le résultat des recherches pythagoriciennes sur les intervalles des notes. Mais, en même temps, les astres étaient considérés comme régissant le destin des nations et le sort des hommes, et la musique paraissait posséder des pouvoirs supranaturels, illustré par la légende d'Orphée. Les planètes et les constellations comme les chants et les sons des instruments pouvaient exercer une action bénéfique ou néfaste.

Pythagore et ses disciples avaient constaté que des cordes de même épaisseur, également tendues, émettaient des notes correspondant aux divers intervalles musicaux lorsque leur longueur variait: l'octave si l'une était la moitié de l'autre, la quinte si le rapport était de deux à trois, la quarte s'il était de trois à quatre. Pour la première fois, les hommes découvraient une loi mathématique régissant le monde sensible. Elle leur parut avoir une portée universelle et fut transposée dans l'univers sidéral: le cosmos fut considéré comme obéissant aux lois de la musique. La divine harmonie des sphères réglait le cours des astres et, par une interversion curieuse des termes de l'analogie, la musique terrestre était réputée en être un écho affaibli (1). Ces affinités supposées incitaient à rechercher des relations de plus en plus étroites entre les deux catégories de phénomènes. L'imagination supplanta l'observation. Cornelius Agrippa de Nettesheim, savant fort estimé au XVIe siècle, prétendait, dans son traité *De occulta philosophia*, qu'à chaque planète et au ciel des étoiles fixes

(1) Cf. Franz Cumont: *Recherches sur le symbolisme funéraire des Romains*, p. 262.

9

correspondait un mode musical. Le soleil avait droit au dorien, tenu pour viril, digne, grave, Mercure à l'hypophrygien, considéré par Aristote comme actif et Vénus, évidemment, à l'hypolydien réputé amoureux... De telles corrélations prêtent maintenant à sourire: elles sont révélatrices de la pensée d'une époque.

Ces conceptions ont eu des conséquences d'autant plus importantes et durables sur les arts que les découvertes de Copernic, de Képler et de Galilée ont été lentes à se répandre en dehors de petits cercles scientifiques. Il en est résulté, en particulier, la longue survie d'une distinction antique opposant les arts mécaniques qui exigeaient surtout le travail de la main et les sept arts libéraux qui relevaient de l'intelligence. Le *Trivium* réunissait la grammaire, la rhétorique et la dialectique qui permettaient de formuler correctement la pensée. Le *quadrivium* groupait les quatre sciences liées aux mathématiques: l'arithmétique, la géométrie, l'astrologie (ou astronomie, les deux termes étant alors synonymes) et la musique en raison de ses liens avec l'acoustique. Or, les Arts libéraux ont été un thème souvent traité du XVe au XVIIe siècle. Conformément aux descriptions de Martianus Capella, chacun d'entre eux avait pour interprète une belle jeune fille (2) et souvent les artistes avaient soin de placer *Musica* près d'*Astrologia*, en raison de leurs rapports présumés, par exemple dans une peinture de F. Pesellino et de Michelino, au Birmingham Museum of Art (Alabama), dans la fresque de Botticelli au Louvre, dans un tableau inspiré de gravures d'après Frans Floris au Musée de Bruxelles, ou dans une estampe de Cornelis Schut. L'énumération pourrait être aisément poursuivie.

Toutefois, ce n'était pas la passion de la science qui avait motivé pendant des millénaires l'étude obstinée du ciel. Les hommes ont toujours été avides de connaître l'avenir avec l'espoir de le dominer en pénétrant ses secrets. Dans les vallées du Tigre et de l'Euphrate, les astrologues scrutaient la voûte céleste pour y découvrir les présages des guerres, des cataclysmes et des grands événements. En Grèce, puis à Rome, cet art divinatoire prit un caractère individuel: nombreux étaient ceux qui désiraient savoir quelles étaient les forces astrales affectant leur destinée, d'où une large diffusion de la doctrine. En Egypte, le système se compliqua par l'intrusion des dieux locaux, en particulier pour le zodiaque (3). Cette constatation pose le problème des rapports de l'astrologie avec les anciennes religions.

En tant que science, cette première ébauche de l'astronomie pouvait s'accommoder des théologies les plus diverses. L'exemple des astronomes des XVIe et XVIIe siècles le prouve – sous réserve de quelques heurts célèbres comme l'affaire Galilée, dont l'Eglise sortit temporairement victorieuse et durablement ébranlée. Pour l'astrolâtrie, qui était une religion, il n'en allait pas de même: elle tendait à éliminer les anciens cultes ou à les absorber en s'y insinuant. La vieille mythologie gréco-romaine ne lui opposa pas une résistance efficace: elle avait d'ailleurs été déjà contaminée par les religions orientales qui s'étaient implantées à Rome (4). De plus, les principaux dieux trouvaient dans les sept planètes une retraite glorieuse qui leur a permis de survivre jusqu'à notre époque. Les religions solaires, pour leur part, bénéficiaient des théories astrologiques qui présentaient un terrain favorable à leur développement. Il n'en allait pas de même avec le judaïsme, puis le christianisme quand il restait fidèle à ses origines (5): tous deux dénonçaient dans la religion astrale une résurrection des superstitions païennes. Les spéculations des gnostiques et des néo-platoniciens se montraient au contraire favorables à une certaine pénétration. Même dans le christianisme primitif, quelques infiltrations s'étaient produites, par exemple dans l'Apocalypse de saint Jean avec la prolifération du nombre sept (6).

Telle était la situation à la fin de l'Antiquité. Des siècles s'écoulèrent. Les Arabes firent la conquête de l'Egypte et de la Syrie, deux provinces savantes. A Byzance, le christianisme triomphant s'intéressait peu aux sciences et persécutait les gnostiques, les néo-platoniciens, les néo-pythagoriciens et les manichéens qui

---

(2) Cf. Emile Mâle: *L'art religieux du XIIIe siècle en France*, éd. de 1902, pp. 98 et suiv.
(3) Sur la théorie des «décans» égyptiens et les rapports de l'astrologie avec les religions antiques, voir le remarquable exposé de M. Bouché-Leclercq dans son livre capital sur *l'Astrologie grecque*, ouvrage qui est curieusement banni des bibliothèques d'art en France. Cf. en particulier, pp. 215 à 235.
(4) Cf. F. Cumont: *Les religions orientales dans le paganisme romain*.
(5) Sur les divergences qui opposaient les apôtres d'esprit araméen et ceux qui étaient hellénisés, cf. le résumé donné par la préface de l'édition du *Nouveau Testament* dans la Bibliothèque de la Pléiade. Sur la prohibition de l'astrologie, cf. *Lévitique*, XIX, 26 et II *Rois*, XXI,6,
(6) Les sept églises, les sept esprits, les sept candélabres d'or, le livre à sept sceaux, l'agneau à sept cornes, la bête à sept têtes, les sept trompettes des sept anges, les sept fioles de la colère de Dieu.

formaient une remarquable élite intellectuelle. Ils se réfugièrent dans les pays musulmans (7). C'était un peu une préfiguration de la Révocation de l'Edit de Nantes.

Grâce à cet afflux, les Perses et les Arabes bénéficièrent largement de la science hellénique et aussi, de l'astrologie qui avait profondément pénétré dans certaines de ces sectes. Elle s'accordait bien d'ailleurs avec le fatalisme mahométan. C'est en grande partie par l'intermédiaire des Arabes que la pensée antique pénétra ensuite en Occident à travers l'Espagne et la Sicile. L'église chrétienne resta défiante à l'égard de la religion astrale qui postulait la prédestination. Cette hostilité inspira des critiques perspicaces aux derniers grands maîtres de la scolastique. Nicolas Oresme (vers 1320-1382) avait écrit des traités sur les sciences physiques et contre l'astrologie qui sont remarquables pour leur époque. Son élève Charles V n'en eut pas moins un astrologue attaché à sa personne. Puis, des paralogismes plus ou moins ingénieux permirent de surmonter ou de contourner les obstacles théologiques.

L'astrologie atteignit ainsi aux XVe et XVIe siècles son apogée en Occident: son ascendant était alors comparable à celui de la psychanalyse de nos jours. Les princes, les artistes, les médecins et le grand public étaient persuadés de sa véracité. A cette époque, elle exerça une influence considérable sur l'iconographie musicale: or, c'est la période où beaucoup de thèmes fondamentaux apparaissent. Tout en évoluant, ils ont subsisté pendant plusieurs siècles.

L'engouement général pour cette pseudo-science divinatoire avait provoqué l'apparition d'une littérature abondante comme le prouvent de multiples manuscrits et des publications que diffusait l'imprimerie à ses débuts. Seulement, en un millénaire et demi, les notions astrologiques s'étaient compliquées. Chaque planète présentait d'abord les caractères des divinités antiques dont elle portait le nom et, de plus, elle possédait de nombreuses qualités accessoires. Elle était «l'amie» d'un métal, «habitait» un ou deux signes du zodiaque, qui lui servaient de «maisons», était chaude ou froide, sèche ou humide, passait par des phases d'activité puis de décroissance et son action était renforcée, déviée ou contrariée par celle d'autres astres. Une grande partie du public éprouvait des difficultés à assimiler ce système complexe, énoncé en langage sibyllin dans des ouvrages souvent coûteux. Aussi, certains graveurs eurent-ils l'idée de rendre ces théories plus accessibles aux profanes en publiant des suites, accompagnées parfois d'un bref commentaire. Chaque planète était censée transmettre aux hommes nés pendant sa période de puissance divers penchants que l'estampe illustrait par des scènes tirées de la vie et des moeurs du temps. Ces compositions sont restées des documents vivants et souvent savoureux: elles constituaient, si l'on ose dire, les «bandes dessinées» de l'astrologie.

F. Lippmann, dans un livre demeuré fondamental (8), a étudié les premières de ces suites dont l'influence s'est prolongée longtemps sur l'iconographie. Vers 1450, parut, à Florence, celle qui est attribuée, sans preuve certaine, à Baccio Baldini. Les rares exemplaires qui en subsistent sont fatigués et leur exécution est plutôt celle d'un amateur que d'un artiste. Elle n'en eut pas moins un succès attesté par une contrefaçon, en sens contraire, incisée par un professionnel et meilleure que l'original.

Vers 1480, une autre suite, sur bois, est sans doute originaire des Pays-Bas: les sujets s'inspirent des exemples italiens, mais leurs interprétations ainsi que celles des divinités sont très différentes.

Les chefs-d'oeuvre du genre ont été réalisés, environ vingt ans après, par le Maître du Hausbuch dont la conception originale et la manière réaliste, vigoureuse, surclassent les oeuvres antérieures et postérieures.

Au XVIe siècle, vers 1530, Hans-Sebald Beham a gravé à son tour une bonne série des sept planètes. Les attitudes des personnages sont bien observées et les scènes adroitement réparties. Ces estampes ont joui d'une large notoriété: elles ont été transposées en tapisseries et en enluminures. Un Italien, édité par Gabriele-Giolito de Ferrare, en a donné des versions habiles, avec des variantes souvent heureuses.

---

(7) Cf. Altheim: *Geschichte der Sassaniden.* Les sciences étaient surtout étudiées par les groupes à tendance monophysite, n'admettant qu'une seule nature chez le Christ.
(8) *The seven planets.* Ed. international Society, 1895.

Divers peintres et graveurs ont continué cette tradition avec un succès inégal. La suite conçue par Heemskerke est encore d'un notable intérêt. Vers la fin du XVIe siècle, une belle tenture fut tissée à Bruxelles sur ce sujet.

Toutefois, le thème s'épuisait et les notions scientifiques qui se répandaient lui faisaient perdre peu à peu sa crédibilité. Il n'en continua pas moins à exercer une action féconde sur l'iconographie grâce à la dissociation des éléments constituant chacune des estampes: sujets mythologiques d'une part, scènes de genre de l'autre se multiplièrent à partir des vieilles gravures. Les réussites artistiques furent variables, mais de grands Maîtres y ont puisé une inspiration génératrice de chefs-d'oeuvre.

Puisqu'une action prédominante était attribuée aux planètes, la zone du ciel qu'elles parcouraient fut scrutée avec un soin extrême: elle formait le zodiaque, bande circulaire s'étendant à huit ou neuf degrés au-dessus et au-dessous de l'écliptique, ce grand cercle que le soleil semble parcourir en un an. Dès la haute antiquité, le zodiaque avait été partagé en douze compartiments, chacun étant occupé approximativement par une constellation: c'étaient les «signes» du zodiaque servant de «maisons» aux planètes et permettant aux astrologues de déterminer les phases d'exaltation ou de déclin de ces astres. Bien plus, chaque «signe» conférait aux hommes nés sous son influence certaines aptitudes. A leur tour, ces douze «signes» ont permis aux artistes de faire valoir leurs connaissances en astromancie et leur imagination plastique pour décorer des plafonds évoquant le zodiaque, enluminer des manuscrits, illustrer des calendriers ou composer des tableaux ou des cartons de tapisserie.

En fait, deux planètes: Mercure et Vénus, et un signe du zodiaque: les Gémeaux, ont apporté à l'iconographie musicale (9) une contribution d'une importance capitale et parfois d'une qualité prestigieuse.

(9) Nous tenons à exprimer notre gratitude à Madame de Chambure, conservateur honoraire du Musée du Conservatoire, pour ses précieux avis en matière d'organologie.

12

MERCURE ET LA MUSIQUE

In Mercurium Hymnus

«Mercuri, facunde nepos Atlantis,
Qui feros cultus hominum recentum
Voce formasti catus, et decorae
*   More palaestrae:*
Te canam, magni Jovis ac Deorum
Nuntium, curvaeque lyrae parentem...

. . . .

Tu pias laetis animas reponis
Sedibus, virgâque levem coerces
Aureâ turbam, superis Deorum
*   Gratus et imis»* (1)
                    Horace – *Odes* (III, 10)

Que cette ode antique soit le prélude moderne d'une réhabilitation. De nos jours, Mercure n'est plus guère connu que comme le dieu des voleurs ou, au mieux, comme le protecteur des marchands – terme souvent pris dans un sens péjoratif. S'il en avait été ainsi, l'iconographie qui lui est consacrée serait inintelligible. En partant de la pieuse invocation d'Horace, il importe de rendre à cette divinité méconnue sa vraie personnalité, avec les qualités que sa planète conférait à ses «enfants» et que les artistes de la Renaissance, de l'âge maniériste, baroque et classique ont célébrées tour à tour. Faut-il rappeler le rôle que des cités commerciales ou bancaires, comme Venise, Florence, Bruges, Anvers, Amsterdam (2), Nuremberg ont

---

(1) «Mercure, éloquent petit-fils d'Atlas, toi qui voyant les moeurs farouches des hommes nouveaux sur la Terre, fus adroit à les polir par la parole et par l'usage de la palestre qui donne la beauté.
     «C'est toi que je chanterai, messager du grand Jupiter et des dieux, père de la lyre recourbée...

     «C'est toi qui mets les âmes pieuses dans le séjour fortuné et, sous ta baguette d'or, rallies la troupe légère, cher aux dieux d'en haut et d'en bas». (Édition Guillaume Budé. Traduction de F. Villeneuve).
(2) C'est chez les marchands bataves que Descartes trouva la liberté nécessaire pour mûrir son système qui devait rénover la philosophie, malgré les attaques virulentes d'un théologien d'Utrecht, Gijsbert Voet, et la mise à l'*index* décidée par Rome en dépit de l'admiration que lui portait Mazarin. Il en fut de même pour Spinoza, né à Amsterdam d'une famille de Juifs portugais réfugiés, et condamné par ses coreligionnaires: Mercure a aussi protégé les philosophes.

13

joué dans la civilisation occidentale? Certes, de grands princes, par leur mécénat, ont également créé des foyers d'art rayonnants. Aussi leur générosité était-elle appelée par Vasari (*Ragionamenti*, p. 14) la «vertu mercuriale». Ce Maître eut soin de la doter du caducée d'Hermès et des ailes de la Renommée lorsqu'il la peignit au plafond de la Salle des Eléments, au Palazzo Vecchio, à Florence. Que ce dieu de l'Abondance bienfaisante reçoive ici l'hommage qu'il mérite et qu'il reprenne enfin sa place légitime. Sa longue carrière, marquée par un effort tenace pour s'élever sans cesse dans l'ordre intellectuel, reste un des plus beaux mythes des croyances antiques.

Chez les Pélasges d'Arcadie, Hermès était un petit dieu pastoral, veillant sur le croît des troupeaux. Comme les bergers, il jouait de la flûte pour charmer sa solitude: plus tard, ce talent devait lui servir pour déjouer la vigilance d'Argus. A la suite de diverses métamorphoses, il fut accueilli dans l'Olympe des grands dieux achéens, mais tous les principaux rôles avaient déjà été pourvus de titulaires. Jupiter lui confia diverses missions dont il s'acquitta avec habileté et déjà dans l'Odyssée, il supplantait Iris dans la charge de messager. Rusé, adroit, doué d'une éloquence persuasive, il avait les dons nécessaires pour séduire les Grecs et accomplir une belle carrière. Tout enfant, il avait dérobé le troupeau des génisses confiées à la garde d'Apollon. L'Olympe s'amusa de cette espièglerie, mais, malgré la restitution, la victime demeurait de méchante humeur. Ayant trouvé une tortue, Mercure en évida la carapace, fixa au dessus les cornes d'un boeuf et au milieu un chevalet, puis tendit sept cordes: la lyre était créée. Pour se réconcilier avec Apollon, il la lui offrit et reçut en échange une baguette d'or qui devint le caducée. Dans son poème *Hermès*, Eratosthène, au IIIᵉ siècle, affirme que lorsque le dieu s'envola dans les espaces sidéraux, il entendit les sphères célestes émettre les sept notes de l'instrument qu'il avait construit (3). La lyre révèlait ainsi son caractère sacré et le lien qui unissait l'harmonie céleste à la musique terrestre.

Intermédiaire entre le ciel et la terre, Mercure se prit d'amitié pour les hommes et voulut les tirer de l'ignorance qui, d'après Platon, est l'ennemie de la Vertu (4). De plus, après la mort, c'était lui qui conduisait les âmes fidèles à leurs devoirs au séjour des bienheureux.

Après la fondation d'Alexandrie, son rôle d'éducateur devint encore plus important. En effet, les Grecs, qui résidaient dans cette ville rapprochèrent Hermès de Toth, le dieu égyptien à tête d'ibis, réputé pour la pureté de son chant, la puissance de ses incantations magiques et sa science universelle. Puis, les deux divinités se confondirent et comme Toth était dénommé «trois fois grand», Hermès eut droit à l'épithète de Trismégiste.

A Rome, Mercurius eut une histoire différente. Choisi par diverses confréries de marchands comme patron, il était qualifié de «lucri conservator»: une bourse bien remplie devint l'un de ses attributs. Par la suite, les légendes helléniques prévalurent en art et en littérature: Horace le glorifia d'être l'éducateur de l'humanité. Bien plus, saint Justin le philosophe (103-168), qui avait été platonicien avant de devenir chrétien, comparait le Christ à Mercure parce que tous deux avaient droit à la dénomination de «logos» (*Apologie de la Religion chrétienne*, I, 22). Lors de la Renaissance, alors que les traditions antiques redevenaient vivantes, l'image d'un Hermès musicien, protecteur de tous les arts, s'imposa à nouveau.

Cette lente ascension d'un modeste dieu pastoral vers l'omniscience au fur et à mesure que la civilisation grecque progressait fournit un bel exemple de l'idéalisation croissante du divin dans l'esprit des hommes.

La personnalité de Mercure était riche de possibilités pour l'iconographie musicale et il a été nécessaire d'opérer une sélection pour choisir les exemples cités.

Un premier groupe d'oeuvres concerne Mercure musicien et planète astrologique, créateur de la lyre devenue une constellation. A ce titre, quelques luthiers ont rendu hommage au dieu en construisant de curieux ou de beaux instruments, ayant une signification symbolique.

(3) Cf. F. Cumont, *op. cit.*, p. 18, note IV, additif, p. 499.
(4) Cf. E. Panofsky: commentaire de la gravure de Joan Andrea (*Pandora's Box*).

En raison des multiples aptitudes de Mercure, les «enfants» de sa planète ont été industrieux et ils ont brillé dans les disciplines intellectuelles et artistiques, en particulier comme facteurs d'instruments de musique et exécutants. La lyre était investie d'un rôle sacré, mais elle avait cessé d'être utilisée au Moyen Age. Dans le monde chrétien, elle fut suppléée par l'orgue qui devint un attribut des «enfants» de Mercure.

Hermès protecteur des arts libéraux et mécaniques fut aussi un thème très apprécié par les artistes. L'intervention de la planète allait même faciliter une mutation nécessaire. Science et art, la musique était classée parmi les arts libéraux alors que la peinture, la sculpture et l'architecture étaient reléguées parmi les arts mécaniques. Or, cette suprématie ne se justifiait plus à la fin du XVe siècle et au XVIe. La découverte des lois de la perspective faisait des peintres de véritables géomètres. Beaucoup d'artistes étaient des savants: Vinci en est resté l'exemple le plus illustre. Aussi une nouvelle distinction fut-elle imaginée. Chez les «enfants» de Mercure, musiciens, peintres, sculpteurs figuraient ensemble. En y joignant les architectes, ils prirent place dans le groupe des Beaux-Arts. A la fin du XVIe siècle, une autre division commençait à prévaloir: celle des arts majeurs et des arts mineurs (orfèvrerie, céramique, horlogerie, ébénisterie). Cette distinction prévalut lors de la création des Académies. Dès lors, un nouveau classement fut adopté avec la distinction des sciences, dominées par les méthodes rationnelles, des Beaux-Arts qui s'adressent à la sensibilité et à l'intelligence et enfin, des arts mineurs (5) qui supposent surtout un travail artisanal et seront de plus en plus mécanisés au XIXe siècle. Mercure n'eut point à déplorer l'ingratitude de ses «enfants» et, au XVIIIe siècle, certains d'entre eux lui rendront encore hommage.

En iconographie, il y a des thèmes qui en annexent d'autres: c'est ce qui est advenu avec les allégories astrologiques. Pour Mercure, comme pour les autres planètes, une première transposition était conforme à l'idée que chacun de ces astres était «l'ami» d'un métal: aussi l'alchimie avait-elle été appelée «astrologie d'en bas». Hermès Trismégiste était vénéré comme l'initiateur et le maître de ces deux ordres de recherches. Les estampes relatives aux «enfants» de Mercure ont servi parfois à illustrer des traités alchimiques. Les allusions à l'art sonore y sont également fréquentes, car la musique gouvernait, croyait-on, l'ensemble de l'univers, donc les mutations de métaux: aussi l'art spagirique était-il nommé «art de musique».

Une seconde dérivation du thème semble plus inattendue: les allégories de l'Occasion font de nombreux emprunts aux représentations des «enfants» de Mercure. En effet, à l'origine la personnification de *Kairos* (l'opportunité), puis celle de l'Occasion présentent des analogies avec l'image de Mercure: ce sont, comme ce dieu, des figures ailées, pour suggérer la rapidité avec laquelle elles passent. Le bon chef d'Etat est, en conséquence, celui qui sait profiter de circonstances favorables, mais fugaces. L'abondance en résultera et, par suite, les arts et les sciences pourront prospérer.

Cette extension en préparait une autre: les «enfants» de Mercure devinrent le symbole de la Félicité publique et le caducée servit d'attribut au bon gouvernement. Telle est l'origine de deux chefs-d'oeuvre: l'un de Rubens glorifiant la Régence de Marie de Médicis, l'autre de Le Brun célébrant l'harmonieuse et féconde administration de Louis XIV.

(5) Cf. Ferdinando Bologna: *Dalle minori all'industrial design: una storia di una ideologia*, 1972.

VÉNUS ET LA MUSIQUE

« If music be the food of love, play on;
Give me excess of it, that, surfeiting,
The appetite may sicken, and so die.
That strain again! it has a dying fall (1)...»

Shakespeare.

Ainsi s'exprimait Orsino, duc d'Illyrie, au début de la *Nuit des Rois.* Sans doute ne faisait-il que traduire en vers admirables ce que nombre de ses contemporains ressentaient lorsqu'ils écoutaient les oeuvres élégiaques de Dowland et de ses émules. Ces mélodies nostalgiques, ces sonorités troublantes, ces airs aux «chutes expirantes» ne marquaient-ils pas l'approche insidieuse de Vénus quand elle s'emparait d'un coeur avant qu'il n'en ressente les «feux redoutables»? Certes, cette musique, «nourriture d'amour», était loin de l'art mystique et austère, que patronnait Mercure. Les deux divinités s'opposaient même sur ce point et les astrologues professaient que les deux planètes étaient ennemies. L'histoire expliquait cette antinomie. Hermès symbolisait le progrès obstiné vers un idéal intellectuel. Vénus était ondoyante et diverse. Dès sa naissance, elle avait été double et ses deux évolutions différaient jusqu'à faire antithèse.

Vieille divinité de l'Olympe, Aphrodite tirait certains de ses caractères de religions orientales antérieures. Elle se rattachait aux très anciens cultes de la fécondité, à la Mylitta de Babylone, à l'Istar assyrienne et plus encore à l'Astarté phénicienne, dont le culte avait pénétré dans l'Hellade par Cythère et Chypre et s'était répandu en Crète, en Sicile, à Carthage et dans le Latium. En Grèce, elle avait deux personnalités. D'après Hésiode, elle était fille d'Ouranos et de la Mer et c'était elle que Platon considérait comme la noble Uranie. Pour Homère, elle était née de l'union de Zeus et de Dionè, fille de l'Océan. Plus jeune, elle était devenue la Vénus vulgaire. La première épousa Arès, dieu de la guerre et en eut trois enfants, dont Harmonia: ainsi se trouvait réalisé l'équilibre des forces créatrices et destructrices. Au contraire, l'autre Aphrodite, d'après une légende populaire, avait eu pour époux le plus laid des dieux: Vulcain – aussi l'avait-elle outrageusement trompé avec Mars. Parmi ses enfants, Eros occupait la première place, mais les auteurs antiques n'étaient pas d'accord pour lui choisir un père, quoique Mars ait été souvent désigné.

Pour comprendre quelques particularités de l'iconographie, il convient de rappeler les divers cultes relatifs à Vénus. Déesse céleste, elle évoque un peu l'Astarté lunaire des Sémites, mais comme Diane régnait sur cet astre, elle eut avec lui des rapports bien moins étroits que dans les religions orientales. Elle exerçait

---

(1) «Si musique est nourriture d'amour, jouez toujours; donnez m'en à l'excès jusqu'à satiété, que j'en languisse de désir et que j'en meure. Cet air, encore! Il avait une chute expirante...». Cf. aussi la traduction un peu différente de F. Carrère et C. Chemin, Aubier, éd. Montaigne, Paris, 1956.

néanmoins une action sur les eaux et fut adorée comme divinité marine. Elle assurait chaque année le renouveau: l'arbre de mai était planté en son honneur. Elle était appelée la «fleurie», aimant les plantes odorantes telles que le myrte et la rose. Surtout, elle favorisait la fécondité et les animaux prolifiques: bouc et bélier, lièvre et lapin, passereau et colombe étaient ses attributs habituels. Puisque l'union stable de l'homme et de la femme assure la survie de l'humanité, elle fut aussi la protectrice du mariage et veillait sur le bonheur des époux. D'après une ancienne tradition, reprise par Phidias, lorsqu'elle était investie de cette mission familiale, elle posait le pied sur une tortue. Dans ses *Préceptes conjugaux*, Plutarque, expliquait ce symbole: les épouses devaient être les gardiennes fidèles de la maison, semblables à cet animal qui ne quitte jamais sa carapace, et de plus, savoir se taire, car, d'après une croyance de ce temps, la tortue n'avait pas de langue (Pline, *Historia naturalis*, liv. XI, chap. 37, parag. 68). Tels étaient les excellents conseils prodigués par Phidias et sa Vénus d'Elis.

Toutefois, pour parvenir à ses fins, Aphrodite incarnait la beauté féminine parfaite: elle inspirait alors le désir et, par suite, suscitait le plaisir des sens. Homère opposait la sévère Minerve à Vénus la voluptueuse. Peu à peu, par extension de son rôle, elle devint la patronne des courtisanes et les servantes de ses temples se prostituèrent. Le christianisme à ses débuts ne manqua pas de dénoncer l'immoralité d'un tel culte, reprenant les imprécations des prophètes contre ces pratiques idolâtres (Michée, I, 7).

Les philosophes grecs avaient trouvé dans les deux Vénus une opposition expressive. La Vénus céleste correspondait à l'amour pur, la Vénus vulgaire au plaisir charnel. La première élevait l'âme, la seconde l'avilissait. Platon a donné dans le *Banquet* un commentaire célèbre de cette allégorie.

En fait, dans l'iconographie, la place réservée aux deux Vénus est très inégale. L'idéal chrétien était la pureté. Pour combattre le paganisme et l'érotisme, Aphrodite fut presque toujours représentée sous sa forme lascive, présidant à la débauche et inspirant la luxure. Il en est résulté, longtemps après, que l'art sonore a pris dans ce cas un caractère galant et même licencieux dans les parties de musique présidées par la déesse. Déjà dans l'estampe de Baccio Baldini, seul un groupe, celui de l'amant couronné au son du luth, peut faire allusion à l'amour poétique. Les autres scènes ne concernent que l'attrait physique. Il en va de même, avec plus ou moins d'audace, dans les diverses suites.

Quand les compositions relatives aux «enfants» de Vénus se fragmentèrent, elles donnèrent naissance à de nombreuses scènes musicales. Bien rares sont celles qui sont à la fois poétiques et édifiantes. Les autres connurent néanmoins un vif succès: sans doute y avait-il une large clientèle qui désirait se prémunir ainsi contre des tentations condamnables. Il en est résulté une documentation abondante pour l'organologie et les petits ensembles instrumentaux utilisés dans les divers milieux sociaux. La musique immorale eut ainsi des effets bénéfiques pour la musicologie.

D'après l'astrologie, lorsqu'un enfant naît au moment où Vénus est en «mauvaise position», l'action de cette planète devient maléfique (2). De même, les «aspects» entre Saturne et Vénus (3) confèrent à la fois des dons intellectuels et une sensualité pouvant aller jusqu'à la perversité: dans ces cas, l'amour devient de la concupiscence, de l'impudicité, de la luxure avec les déchéances et les maladies qui peuvent en résulter.

En raison de sa vogue et de sa large portée le thème des «enfants» de Vénus en a dominé de nombreux autres. Vénus étant la déesse du printemps et le Taureau étant l'une de ses deux maisons zodiacales, les allégories relatives au mois d'avril font parfois appel aux musiciens chers à la déesse de Cythère. Il en va souvent de même pour le mois de mai, pour le soir parmi les parties du jour, pour la Terre (4) considérée, parmi les éléments, comme la Mère universelle.

Cette vue d'ensemble suffit pour faire ressortir combien l'iconographie musicale a été tributaire du thème astrologique de Vénus. Sans doute, au fur et à mesure que le temps s'écoulait, cette origine devenait moins apparente: elle a subsisté néanmoins dans de nombreux sujets jusqu'à la fin du XVIIIe siècle.

(2) Cf. W. F. Peukert: l'*Astrologie* (trad. française: Payot, 1965), p. 48.
(3) *Ibid.* p. 175. Les «aspects» sont les rapports angulaires des planètes entre elles.
(4) Cf. la table de concordance dressée par F. Cumont à la fin de sa notice sur *Zodiacus. Dictionnaire des antiquités grecques et romaines* de Daremberg et Saglio, t. IX, p. 1062.

LES GÉMEAUX ET LA MUSIQUE

Le zodiaque tire son origine lointaine des observations faites par les astrologues de Babylone. Les figures des divers signes apparaissent sur des pierres gravées un millénaire et demi environ avant l'ère chrétienne. L'imagination orientale avait cru déceler dans les dessins suggérés par les constellations l'esquisse de monstres dimorphes: le capricorne, mi-chèvre mi-poisson, le sagittaire, centaure tirant de l'arc, ont subsisté. Toutefois, les Grecs, sensibles à l'élégance plastique, ne se contentèrent pas toujours de ce bestiaire tératologique et lui substituèrent souvent des représentations esthétiques.

Les Gémeaux en offrent un bel exemple. Dans les vallées du Tigre et de l'Euphrate, ils étaient assimilés à un fauve bicéphale. Les Hellènes préférèrent l'image de dieux ou de héros qui ont, d'ailleurs, varié. Au début, ce furent Apollon et Hercule, puis souvent Castor et Pollux (qui ont donné leur nom aux deux étoiles les plus brillantes de la constellation) et, parfois, Amphion et Zéthos avec la lyre et le sceptre, ou Phosphoros et Hespéros tenant une torche droite et une autre renversée, ou encore les Cabires de Samothrace, dieux du feu.

En dépit de leur origine païenne, les Gémeaux ont survécu dans l'iconographie chrétienne, en subissant il est vrai bien des métamorphoses physiques et vestimentaires (1). Lors de la Renaissance, ils redevinrent de charmants *putti* se caressant tendrement, comme dans quelques sculptures antiques.

Ce signe a inspiré une iconographie musicale et galante qui tire en grande partie son origine d'un texte de Manilius, astrologue et poète, du temps d'Auguste. Pour définir le caractère des hommes nés pendant cette période, cet auteur avait écrit, dans les *Astronomica* (IV, 152 et suiv.): «les Gémeaux président à des occupations plus douces et font couler la vie plus agréablement. On la passe à chanter, à former des concerts ou à accompagner de la voix les tendres sons de la lyre et du chalumeau. Les plaisirs même paraissent parfois un travail. Point de trompettes, point d'instruments de guerre: on écarte toute idée d'une triste vieillesse; du repos et une jeunesse éternelle passée dans les bras de l'amour, tel est le voeu de ceux qui naissent sous les Gémeaux. Ils se fraient un chemin jusqu'à la connaissance des astres et continuent à parcourir le cercle des sciences; ils étudient les nombres et laissent bien loin derrière eux l'étendue du ciel. La nature, moins vaste que leur génie, se prête à toutes leurs recherches, tant sont variées les connaissances dont ce signe inspire le goût».

Pour comprendre les aptitudes contradictoires des «enfants» des Gémeaux, il convient de se référer aux dieux qui ont exercé leur influence sur eux. Ce signe zodiacal est une des deux «maisons» de Mercure,

(1) Cf. *L'Oeil*, octobre 1972, pp. 12 à 19.

spécialiste des mathématiques et de la musique savante. De plus, Apollon est sa divinité tutélaire et les Gémeaux eux-mêmes ont d'abord été assimilés à Hercule et à Apollon, tous deux amis des Muses, donc d'Uranie (l'Astronomie) et d'Euterpe (la Musique). Les dons scientifiques de ceux qui naissent à ce moment sont dès lors compréhensibles. Toutefois, il reste à expliquer leur tempérament amoureux et leur penchant pour la musique aphrodisiaque.

La solution est fournie par une tradition antique qui n'est pas habituelle. Le Louvre conserve une table ronde, en marbre, gréco-romaine, du 1er siècle avant Jésus-Christ. Sur la tranche, les Gémeaux sont représentés par deux *putti*, près du trépied, attribut d'Apollon, ce qui est normal puisque ce dieu est leur protecteur. Toutefois, ce n'est pas lui qui est sculpté au-dessus, mais Vénus et l'Amour, ce qui relève d'une iconographie rare, non commentée par des textes antiques (2). Or, c'est précisément l'influence d'Aphrodite et d'Eros qui détermine le caractère voluptueux des «enfants» des Gémeaux et leur goût pour la musique galante à laquelle ils s'adonnent, à de rares exceptions près, à partir de la Renaissance.

Une autre cause a sans doute contribué à cette orientation particulière. Divinité du renouveau, Vénus règne sur l'ensemble du printemps, donc sur Mai, mois des fleurs et amours: en fait, son thème a annexé en grande partie celui des Gémeaux. Lorsque Jordaens a peint le zodiaque qui orne maintenant le Palais du Luxembourg, il a chargé ces deux *putti* de tirer le char de Vénus et de l'Amour, ce qui implique leur subordination. Lorsque ce signe zodiacal n'apparaît pas dans une oeuvre, il est souvent impossible de déterminer si l'artiste a voulu décrire les tendres divertissements du mois de mai ou les penchants sentimentaux des «enfants» des Gémeaux.

Une tierce influence s'est aussi exercée: celle des «Jardins d'amour». Ce thème apparaît tard dans l'iconographie: au XVe siècle. Puis, il se développe en Italie, en Allemagne et surtout dans les Pays Bas. Son origine n'est pas astrologique, mais littéraire: le sujet du «verger d'amour» remonte à l'Antiquité, à Tibulle, aux élégiaques et aussi au Paradis terrestre. Le *Roman de la Rose* lui avait donné un prestige particulier. Ce poème était l'oeuvre de deux auteurs successifs dont les conceptions étaient contraires: Guillaume de Lorris avait décrit en vers charmants le jardin qui sert de cadre à l'allégorie et formulé un code de l'amour courtois. Son successeur, Jean de Meung considérait que la doctrine de son prédécesseur était une illusion: pour lui l'amour est un instinct impérieux qui incite les couples à s'unir pour perpétuer la race. C'est un artifice de la Nature à qui Dieu a remis le gouvernement du Monde. Les deux tendances opposées étaient ainsi formulées dans la même oeuvre. Par la suite, elles se retrouvent chez les artistes. Divers «Jardins d'amour» sont des réunions distinguées, à la fois poétiques et musicales. Chez Rubens au contraire la vie déborde et la passion se manifeste. Plus tard, il arrivera à Watteau de combiner les trois grands sujets devenus très proches. Ce sera une ultime consécration pour les enfants de Vénus et des Gémeaux. Le souvenir des vieux thèmes s'étant alors perdu, une dénomination nouvelle fut inventée: celle de «fêtes galantes». Elle pouvait même convenir pour désigner le siècle qui commençait. Comme les «enfants» des Gémeaux, les hommes de cette époque éprouvaient une propension irrésistible pour la volupté, un goût très vif pour la musique, une passion pour les sciences. Lorsque le soir du siècle fut venu, semblable aux rossignols qui chantaient au crépuscule dans les bosquets des parcs, Mozart fit encore entendre sa divine musique. Puis, ce fut la fin brutale et sanglante. Pendant près d'un quart de siècle, les «enfants» de Mars allaient dominer l'Europe.

(2) Manilius, *op. cit.*, est formel: la divinité tutélaire des Gémeaux est Apollon et celle du Taureau Vénus.

MEMORIA MANET

Dieu a donné un frère à l'Espérance: il s'appelle le Souvenir.

Michel-Ange

Après avoir évoqué les belles traductions plastiques des théories astrologiques, comment ne pas éprouver parfois une émotion et un regret? Ainsi, il fut un temps où le silence des espaces infinis n'effrayait pas les hommes. L'univers n'était pas un désert muet, car une harmonie divine en unissait les diverses parties. Certes, ce fut un songe grandiose de supposer que le cosmos était régi par les lois admirables de la musique. En 1599, Kepler écrivait encore à Erwart que l'ouvrage de sa vie, son grand traité *De harmonia mundi*, serait divisé en cinq parties dont une consacrée à la musique. Puis, en trois siècles, la stricte observation et les méthodes rationnelles ont dissipé la merveilleuse illusion: la symphonie des sphères s'est tue pour toujours. Bien plus: l'une des bases de l'astrologie vacillait en raison de la constante rotation de l'axe terrestre. «Comme le plan de l'Equateur est perpendiculaire à cet axe, il se déplace en conséquence et avec lui les points du Bélier et de la Balance... Comme ce déplacement remonte la suite des signes, il passe du Bélier dans les Poissons et retourne au Verseau. En l'an 100 avant J. C., le point du printemps était encore dans le Bélier, puis, il passa dans les Poissons et au XXIᵉ siècle, il entrera dans le Verseau» (1). Certains astrologues modernes en ont tiré des conclusions philosophiques et prophétisé l'avènement de temps nouveaux et redoutables. Néanmoins, les vieilles croyances restent fortement implantées dans l'esprit d'un large public. Comme le déplacement des constellations dans le zodiaque est un fait, il est supposé que ce ne sont pas elles qui commandent les destinées humaines, mais l'espace abstrait où elles se trouvaient quand le système fut conçu. Il en résulte que l'influence amoureuse des Gémeaux reste toujours liée au mois de mai... L'humanité renonce difficilement à ce beau rêve étoilé. Comment ne pas évoquer à cette occasion le souvenir de Peter Pan, ce petit garçon qui n'avait pas voulu grandir pour rester dans le monde merveilleux des oiseaux et des fées? Le conte de sir James – M. Barrie va loin dans la psychologie humaine: comme dans cette féerie, les hommes veulent rester fidèles à ce souvenir antique et refusent de se laisser convaincre par un raisonnement rigoureux qui les en priverait à jamais.

Un autre élément exerce peut-être aussi une influence. La religion astrale a dû son immense prestige et son long succès au fait qu'elle se présentait comme une science, ce qu'elle affirme être encore. Or, les doctrines, systèmes ou disciplines modernes les plus divers prétendent désormais être des sciences, même quand leurs méthodes sont en réalité assez peu précises et leur connaissance des faits incomplète. En tant que pseudo-science, l'astrologie ne peut que bénéficier d'un état d'esprit aussi répandu.

(1) Cf. W. E. Peuckert, *op. cit.* p. 259.

Sans prétendre discuter les croyances astrales qui subsistent toujours, qu'il soit permis de rendre à l'ancienne astrologie un hommage sur lequel un accord unanime peut se réaliser. Pendant bien des siècles, elle a été un merveilleux stimulant pour l'imagination artistique. Elle a enrichi le patrimoine occidental de chefs-d'oeuvre qui incitent toujours à réfléchir. En feuilletant ce long dossier, il semble parfois qu'il est analogue à ces papiers de famille où des lettres jaunies et une encre pâlie font revivre de chers disparus et des affections que rien ne remplace. Il en va de même pour les vieilles illusions quand elles étaient belles. Pour les civilisations comme pour les hommes, le mot de Joubert reste vrai: le soir de la vie apporte avec lui sa lampe. C'est à cette lumière qu'il faut regarder ce que le passé a légué. Un spécialiste comme M. Peuckert croyait encore à la religion et à la science des astres. Tout récemment, M. Mircea Eliade (2), philosophe et historien des religions, avouait qu'il a parfois l'impression d'être un exilé à une époque où l'homme a perdu sa vertu primordiale de communiquer, comme au temps des cultes disparus, avec les divers niveaux cosmiques du Monde. «Chaque exilé, écrit-il, est un Ulysse en route vers Ithaque. Toute existence réelle reproduit l'Odyssée».

Au cours de ce voyage auquel le lecteur est convié, puisse-t-il parfois, en présence d'oeuvres charmantes ou d'une inspiration profonde, éprouver au moins le plaisir nostalgique «d'aller cueillir des fleurs sur la tombe des dieux».

(2) *Fragments d'un Journal.*

BIBLIOGRAPHIE

Marcus MANILIUS, *Les Astronomiques*. Collection des auteurs latins, avec la traduction en français, publiés sous la direction de M. Nisard. 1842.

Claude PTOLÉMÉE, *Hieronymi Cardini in Cl. Ptolemaei Pelusiensis IIII de astrorum judicis*. Basilene, excudebat H. Petri, 1554.

Claudius Ptolemaeus (PTOLÉMÉE), *L'Uranie de Messire Nicolas Bourdin ou la traduction des quatre livres des Jugements des astres de Claude Ptolémée*. C. Besongue, Paris, 1640.

Claude PTOLÉMÉE, *Aphorismes d'astrologie tirés de Ptolémée, Hermès, Cardan, Monfredus et plusieurs autres*, traduits en français par I.N.C. et augmentés d'une préface de la vraye astrologie par L. Meysonnier. J. Pocquet, Paris, 1657.

H. J. PERNETY, *Dictionnaire mytho-hermétique*, Bauche, Paris, 1758.

Alfred MAURY, *Magie et astrologie dans l'Antiquité et au Moyen Age*. Didier, Paris, 1860.

Auguste BOUCHÉ-LECLERCQ, *Histoire de la divination dans l'Antiquité*. Leroux, Paris, 1879-1882 (4 tomes).

Auguste BOUCHÉ-LECLERCQ, *L'astrologie dans le monde romain* (extrait de la *Revue historique*, 1897).

Auguste BOUCHÉ-LECLERCQ, *L'astrologie grecque*. Leroux, Paris, 1899.

F. LIPPMANN, *Les sept planètes*. Société internationale de chalcographie (traduction de F. Courboin).

DAREMBERG et SAGLIO, *Dictionnaire des Antiquités grecques et romaines*. Tome 6 (1904).Legrand (Adrien), article: Mercurius. Tome 9 (1914). Piganiol (A.), article: Vénus – Cumont (Franz), article: Zodiacus.

Arthur M. HIND, *Early Italian Engraving: a critical catalogue with complete reproduction of all the prints described*. New York, Knoedler. London, Quarritch. 1938-1948.

Guy de TERVARENT, Astrological concepts in Renaissance Art. *Gazette des Beaux-Arts*, 1946, II, pp. 233 à 248.

Jean SEZNEC, *The Survival of the Pagan Gods... in Renaissance Humanism and Art.* Pantheon Books, New York, 1953.

Guy de TERVARENT, *Attributs et symboles dans l'art profane.* Droz, Genève, 1958-1959.

Catalogue de l'exposition «*Médecins alchimistes*». Entretiens de Bichat. La Salpêtrière. 1964.

W. E. PEUCKERT, *L'Astrologie, son histoire, ses doctrines.* Payot, Paris, 1965.

Jacques VAN LENNEP, *Art et Alchimie.* Meddens, Bruxelles, 1966.

Erwin PANOFSKY, *Essais d'iconologie.* Traduction. Gallimard, Paris, 1967.

Mircea ELIADE, *Traité d'histoire des Religions.* Payot, Paris, 1968.

Konrad RENGER, Joos van Winghes «Nachtbanket met een Mascarade» und verwandte Darstellungen. *Jaharbuch der Berliner Museen*, XIV, 1972, pp. 161 à 193.

MERCURE, DIEU MUSICIEN
ET PLANÈTE ASTROLOGIQUE

Dieu musicien, Mercure a deux attributs habituels: soit la flûte qui lui avait permis de déjouer la vigilance d'Argus, soit la carapace d'une tortue ou un instrument à cordes rappelant l'invention de la lyre. En tant que planète astrologique, il est représenté entre les deux signes zodiacaux qui lui servent de «maisons»: les Gémeaux et la Vierge. Souvent les artistes y ont ajouté des instruments de musique pour donner une représentation plus complète de l'influence de cet astre.

Instrument sacré chez les Grecs et les Romains, la lyre était devenue une constellation. L'iconographie arabe lui avait parfois gardé sa forme légendaire, mais en Occident, au Moyen Age, elle avait cessé d'être utilisée. Tout en conservant le nom et le sujet, un nouveau symbole avait prévalu: l'orgue (1), attribut de la théologie (2), auxiliaire des chants liturgiques, image de la prière de l'Eglise. Les illustrations des traités d'astrologie permettent de rapprocher ces deux interprétations au temps de la Renaissance.

Quelques luthiers, en hommage à Hermès, ont construit des instruments rappelant l'invention de la lyre ou la protection que ce dieu accordait à leur profession et à la musique.

(1) Sur cette transformation des "images" par rapport aux "sujets", au Moyen Age, cf. Panofsky: *Essais d'iconologie* (traduction, N.R.F., 1967), pp. 39 et suivantes.
(2) Cf. la gravure d'Etienne Delaulne (1518-1595) représentant la *Théologie* jouant de l'orgue pour s'accompagner, car elle est "la voix de l'Eglise".

PLANCHE 1. – Frontispice. Astrologia et Musica: détail des "Arts Libéraux" (1).
Ecole flamande, fin du XVIe siècle.
Musée de Bruxelles.

Couronnée d'étoiles, Astrologia s'appuie sur un globe céleste. Musica joue du luth pour accompagner un duo. A côté d'elle, un cistre (2), un vielle à roue et une chalemie; devant, un cornet à bouquin et un hybride (frettes sur la touche et chevillier en crosse des violes, quatre cordes comme un violon). Sur un livre, l'inscription Lasus Erminaeus, créateur du dithyrambe et ancêtre supposé des compositeurs. Au fond, la Justice, avec son glaive, et la paix, avec son rameau d'olivier, s'embrassent, attestant ainsi les heureux effets du rapprochement de l'Astrologie et la Musique.

(voir page 4)

PLANCHE 2 a. – L'échange de la lyre contre le caducée.

Annibal Carrache (1560-1609), gravé par C. Cesio.
B. N. Cabinet des Estampes.

Lors de leur réconciliation, Hermès avait offert la lyre à sept cordes (3) à Apollon qui lui avait donné en échange une baguette d'or, devenue ensuite le caducée. L'instrument représenté par Carrache n'est qu'un accessoire de théâtre à cinq cordes, sans caisse de résonance.

PLANCHE 2 b. – Foederis Signum.

Fabrici: *Emblemi* (1588) –
B. N. Cabinet des Estampes.

Cet échange a inspiré un emblème à Fabrici (CL XXXV, p. 277) pour caractériser une marque d'alliance. Un hybride de viole et de violon est substitué à la lyre traditionnelle: l'instrument évoque la *lira da braccio*, qui portait le nom de «lyre» et qui a été l'ancêtre du violon, mais était pourvue de cordes hors manche (4).

---

(1) Sur ce tableau, inspiré de gravures d'après Frans Floris, cf. S. Bergmans. *Bulletin des Musées Royaux des Beaux-Arts*, Bruxelles, 1964, n°s 3-4, pp. 169 à 184.

(2) Le peintre indique à tort que les cordes du cistre sont fixées sur un cordier, alors qu'elles devraient l'être à un "peigne" sous la caisse: le graveur n'avait pas commis cette erreur.

(3) En Crète, la lyre heptacorde existait 1400 ans avant J. C. (*Histoire de la Musique* de la Pléiade, t. I, p. 404). La légende mythologique n'est pas démentie par l'histoire quant à l'ancienneté de l'instrument.

(4) Cf. Emanuel Winternitz: The Lira da Braccio. Early Violins in Paintings by Gaudenzio Ferrari and his School. *Musical Instruments and their Symbolism in Western Art*, 1967, pp. 86 à 107, pl. 30 à 41.

Tab.XXVI.a.

Ann. Caracci in.   C. Cesi? fecit.   Westerhout. formis Cu. Priuil.S.Pont.

27

PLANCHE 3. – Mercure flûtiste.

> Nicoletto de Modène (Nicolo Rosa, dit). Début du XVIᵉ siècle.
> Musée du Louvre. Cabinet Rothschild.

De la main droite, le dieu tient un grand caducée et de la gauche une flûte à bec dont le haut est taillé en biseau. La «fenêtre» et les trous sont sommairement indiqués (1).

(1) Voir aussi *Mercure jouant de la flute à bec* d'Albert Dürer, Cabinet des Dessins du Louvre, reproduit: *Revue du Louvre*, 1964, n° 3, p. 121, fig. 10.

De vng fauchon ql portoit et si
auoit oultre aussi vng chap-
peau en la teste et si tenoit
encore vne fleute q estoit dug

PLANCHE 4. – Mercure et Argus.

Enluminure de Robinet Testard pour les *Echecs Amoureux* (1).
B. N. Département des Manuscrits.

Miniature savoureuse par le mélange d'éléments empruntés à la mythologie antique et d'autres de caractère réaliste comme le costume de Mercure et les serpents du caducée. Déjà somnolent, Argus, couvert d'yeux, est tombé sur le sol. Le coq, attribut du dieu, chante victoire. L'instrument (2), sommairement décrit, est une flûte à bec («fleute» de roseau, dit le texte).

(1) Magnifique manuscrit exécuté pour le père de François 1er, le comte d'Angoulême. Nombre de questions musicales y sont traitées: cf. H. Albert: die Musikästhetik der «Echecs Amoureux». *Romanische Forschungen*, t. XV, 1904, pp. 884-925.
(2) Dans un manuscrit de l'école française du XVIe siècle (Bibliothèque de Lyon), traduction française des *Métamorphoses d'Ovide*, Mercure et Argus sont réprésentés en bergers de l'époque: le dieu joue de la cornemuse à un seul chalumeau et sans bourdon.

PLANCHE 5. – Mercure tenant la carapace d'une tortue: détail du *Triomphe de l'Hiver*.

Antoine Caron (1521-1599).
Collection particulière.

Dans un défilé qui groupe divers dieux, Mercure a pour attributs non seulement le caducée, le pétase et les talonnières, tous ailés, mais une écaille de tortue qu'il tient bien en évidence pour rappeler comment il a construit la première lyre (1).

(1) Cf. Jean Ehrmann. *Antoine Caron* (1955) p. 13 et pl. II.

PLANCHE 6. – Mercure passeur d'âmes et joueur de cistre.

Agostino di Duccio (1418-1498).
Temple des Malatesta – Rimini.

Mercure menait les âmes pures au séjour des Bienheureux (Horace, *Odes*, I, 10): ici, elles tentent de grimper le long du très grand caducée. De la main gauche, le dieu tient un cistre, survivance de la cithare, elle-même perfectionnement de la lyre (1).

(1) Cf. P. Trichet: *Traité des instruments de musique* (vers 1640), p. 157. E. Winternitz: the survival of the kithara, *op. cit.*, pp. 57 à 65 et pl. 4 à 17.

PLANCHE 7. – Mercure, planète astrologique.

> Monogrammiste B.H.S. XVIᵉ siècle.
> B.N. Cabinet des Estampes.

Ce Mercure, «protecteur des marchands» d'après l'inscription, souffle dans une sorte de hautbois rustique, un dessus de chalemie (la position des lèvres laisse supposer une anche). La Vierge, maison de nuit de la planète, lui tend deux pavots, symboles du sommeil (Virgile, *Enéide*, IV, 486) et de Cérès (Virgile, *Géorgiques*, I, 212): la Vierge et Cérès correspondent, en effet, à l'époque des moissons et sont désignées par des attributs semblables. De même, la queue de serpent rappelle un autre attribut de Cérès et les pattes de lézard font allusion à un attribut de la Terre, mère de Cérès (1).

PLANCHE 8. – Mercure, planète astrologique (1569).

> Abraham de Bruyn (1540-1581).
> Musée du Louvre. Cabinet Rothschild.

Mercure brandit son caducée entre un globe zodiacal et son signe astrologique. Comme planète, il est placé entre ses deux maisons: les Gémeaux et la Vierge qui, ici, tient un bouquet d'épis, comme Cérès: l'étoile la plus brillante de cette constellation s'appelle *Spica* (l'épi). Sur le sol: une harpe, un grand luth, un ténor de violon, une trompette droite et un tambour, vu du côté de la peau de timbre.

(1) Cf. la gravure de Nicoletto de Modène (début du XVIᵉ siècle) représentant Cérès tenant d'une main un bouquet d'épis, de pavots et un serpent et de l'autre une corne d'abondance remplie d'épis. D'après Manilius, Cérès était, de plus, la divinité tutélaire de la Vierge.

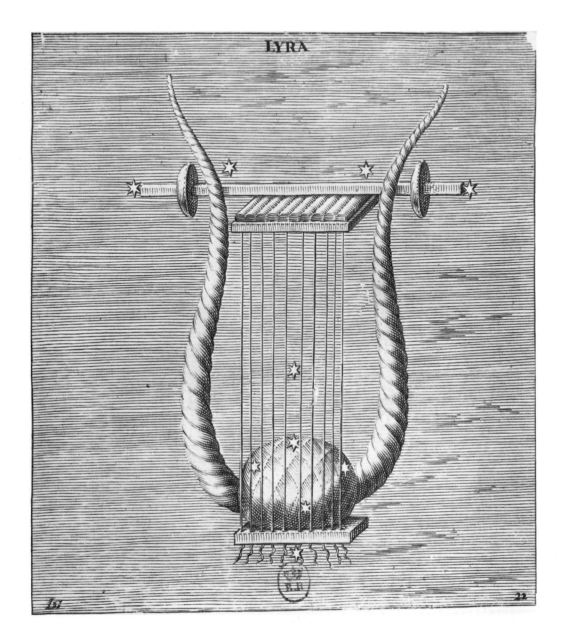

PLANCHE 9 a. – La constellation de la Lyre.

Jacob II de Gheyn (1565-1629), d'après un manuscrit arabe de la Bibliothèque de Leyde. B.N. Cabinet des Estampes.

Constellation ainsi nommée parce qu'il avait semblé, dans l'Antiquité, que les dix étoiles alors visibles (1) correspondaient au schéma d'une lyre à dix cordes. Le manuscrit arabe avait en partie conservé à l'instrument sa structure légendaire (2).

(1) La Lyre compte maintenant 18 étoiles principales, dont Véga, de première grandeur.
(2) Cf. aussi l'enluminure du *Liber Floridus de Lambert* (XVe siècle), à Chantilly: la lyre, sans caisse de résonance, y apparaît comme un joli accessoire décoratif, mais injouable.

33

PLANCHE 9 b. – La constellation de la Lyre.

Ecole allemande vers 1490: Traité d'astrologie.
B.N. Manuscrit allemand 106, fol 209.

Dessin d'un grand intérêt en tant qu'il fait apparaître un orgue circulaire (1) comme substitut de la lyre, selon la tradition du Moyen Age. Le texte indique que ceux qui naissent sous l'influence de cette constellation aiment écouter le chant, les harpes, lyres et luths (2).

(1) Un bel exemplaire de ce type d'instrument figure dans un tableau de Gerard David, conservé du Musée de Darmstadt et représentant *la Vierge et l'Enfant entre des anges musiciens.*
(2) La musique ayant la réputation d'exercer une action trop favorable à l'amour profane, une mise en garde figure au verso de la page 62 (cf. planche 28).

PLANCHE 10. – Ecaille de tortue montée en guitare.

Voboam (début du XVIIIe siècle).
Musée instrumental du Conservatoire National de Musique, Paris.

Voboam était réputé parmi les luthiers pour ses guitares. En souvenir de Mercure, il a réussi à en construire une, à six cordes, en utilisant pour la caisse une belle carapace de tortue. La tête, les pattes et la queue sont en émail (1).

(1) Cf. G. Chouquet. *Le Musée du Conservatoire National de Musique*, n° 268, p. 66.

PLANCHE 11. – Basse de viole au caducée (Hambourg, 1701).

        Joachim Tielke (1641-1719).
        Musée instrumental de Bruxelles (1).

Auteur d'instruments de belle qualité sonore et de décor somptueux, Tielke a décoré de filets d'ivoire les éclisses et le dos, un peu bombé, de cette viole. Le manche est surmonté d'une jolie tête sculptée. La touche est en ivoire ainsi que le cordier, en forme de caducée, hommage rendu à Mercure. L'instrument est encore monté de six cordes (2).

(1) Cf. R. Bragard et F. J. de Hen. *Les instruments de musique dans l'art et l'histoire*, Paris, 1967, p. 117.
(2) D'après Jean Rousseau (*Traité de la viole*, 1687), c'est vers 1675 que Sainte-Colombe a ajouté la 7e corde, mais cette innovation a mis plusieurs décennies pour se répandre à l'étranger.

37

LES "ENFANTS" DE MERCURE

Dieu de l'abondance, Mercure encourageait chez les «enfants» de sa planète non seulement les activités lucratives, mais aussi les travaux artistiques et les recherches scientifiques. Dès la première moitié du XVe siècle, le manuscrit de Cassel le prouve: les éléments essentiels du thème sont dégagés. Au cours des décennies suivantes, un Florentin, peut-être Baccio Baldini, groupe habilement les professions les plus estimées. Puis, avec des qualités inégales, diverses gravures traitent à nouveau ce sujet à la mode. Au XVIe siècle, une scission se produit entre les carrières intellectuelles et artistiques d'une part, les métiers artisanaux et les affaires commerciales de l'autre. Au XVIIe siècle, un bon tableau réunit encore l'ensemble. Au XVIIIe siècle, Johan-Balthasar Probst tente de rajeunir ces compositions, mais en dépit du changement des costumes et de quelques trouvailles de détail, l'estampe qu'il incise n'a que peu d'intérêt, surtout pour la musique.

PLANCHE 12. – Les «enfants» de Mercure.

Ecole allemande (1ère moitié du XVe siècle). Manuscrit astrologique de 1445 (1). Landesbibliothek, Kassel.

Présentation savoureuse dans sa naïveté. Entre les Gémeaux et la Vierge, Mercure est pourvu de surprenantes talonnières. D'une main, il tient le caducée formé de deux serpents nattés et de l'autre, à la fois une bannière décorée d'un renard (symbole alchimique (2) et image de la ruse) et la bourse, attribut du dieu romain. En bas, le peintre, le sculpteur et le savant, coiffé d'un chaperon à deux pans retombants, travaillent. Au centre gauche, un facteur monte un orgue en plaçant les tuyaux les plus courts au milieu, ce qui est une des formes de l'instrument à cette époque.

(1) Cf. Kautzsch: Planeten Darstellungen aus dem Jahre 1445. *Repertorium für Kunstwissenschaft,* t. XX, 1897, pp. 32 à 40 (Mercure: p. 36).
(2) Cf. J. van Lennep: *Art et Alchimie,* p. 87 et fig. 72 (troisième clef de Basile Valentin).

PLANCHE 13. – Les «enfants» de Mercure.

Cristoforo de Predis (XVᵉ siècle): enluminure pour le *Codice de Sphaera* (1).
Bibliothèque Estense, Modène.

Belle enluminure de composition originale. Les «enfants» de Mercure sont répartis par étages superposés: à gauche, le tailleur, l'horloger et le savant, au centre un buffet dressé et des convives attablés. A droite, de haut en bas, le peintre, le sculpteur et le facteur d'orgues qui achève de monter un bel instrument pyramidal pendant qu'un client franchit le seuil: un écaillage a, par malheur, un peu détérioré cette scène.

(1) Ce très beau manuscrit, (latin 209 = d. X.2.14) d'origine lombarde, porte les armoiries des Visconti et des Sforza: il a donc été exécuté pour la Cour de Milan. Les enluminures, oeuvres de Cristoforo de Predis ont été peintes vers 1470 environ. L'étude la plus récente sur cet ouvrage a été publiée en 1969 par Pietro Puliati (ateliers polygraphiques de Bergame), en deux volumes (tome I: reproduction des miniatures, tome II: commentaires). (Renseignements aimablement communiqués par le Dr Gian Albino Ravalli Modoni, directeur de la Bibliothèque Estense). Cf. aussi G. Gruyer: *l'Art ferrarais à l'époque des princes d'Este* (1897), t. I, pp. 426 et 427, note 3, et S. Samek Ludovici: *Il «de Sphaera», estense e l'iconografia astrologica*, Milan, 1958.

43

PLANCHE 14 a. – Les «enfants» de Mercure.

       Gravure attribuée à Baccio Baldini (Florence, vers 1450)
       B.N. Cabinet des Estampes.

Dans le ciel, le char de Mercure, tiré par deux aigles, est muni de roues ornées des signes de la Vierge et, par erreur, du Sagittaire, au lieu des Gémeaux. Sur terre, à gauche, un peintre décore la façade d'une maison et un orfèvre vend une aiguière. Au centre, un imagier sculpte une tête de femme, un couple déguste un repas et, au fond, une femme (Astrologia) montre un globe zodiacal à trois mages ou à trois rois. A droite, deux savants se livrent à l'étude, un horloger règle une pendule et, au premier étage un musicien joue de l'orgue. Une notice résume les caractères de la planète.

PLANCHE 14 b. – Les «enfants» de Mercure.

Copie d'après l'estampe de Baccio Baldini.
B.N. Cabinet des Estampes.

Contrefaçon en sens contraire ou plutôt adaptation. La composition est améliorée par la suppression de quelques personnages. Ceux qui subsistent se servent correctement du bras droit. L'orgue n'est plus inversé. L'erreur commise sur une roue du char est rectifiée: les Gémeaux remplacent le Sagittaire.

PLANCHE **15 a**. – Les «enfants» de Mercure.

> Maître des anciens Pays-Bas (vers 1480).
> B.N. Cabinet des Estampes.

Mercure nu est debout entre la Vierge et les Gémeaux. D'une main il tient deux serpents enlacés (symbole de paix), de l'autre une bourse, signe de richesse emprunté à la tradition romaine. Aux savants, artistes et artisans des précédentes gravures sont ajoutés un prestidigitateur et un tailleur. Le facteur d'orgues vient de terminer un instrument: un client en fait l'essai. Au fond, une ville avec ses clochers, ses remparts et ses tours atteste l'enrichissement de la cité grâce à l'activité des «enfants» de Mercure.

PLANCHE **15** b. – Les «enfants» de Mercure.

Ecole des anciens Pays-Bas (1), XVIᵉ siècle.
Manuscrit de la Bibliothèque d'Oxford. Rawlinson. M.E.D. 1220, p. 32.

L'orgue, inversé comme dans une gravure précédente, dénonce le plagiat. L'exécution est médiocre. Le paysage a été supprimé, ce qui élimine un élément significatif de la composition. Il n'est pas rare que les illustrations des traités astrologiques soient des copies décevantes de gravures (1).

(1) Cf. F. Saxl and H. Meier. *Catalogue of astrological and mythological illuminated manuscripts of the latin middle Ages*, t. I, p. 403.

PLANCHE 16. – Les «enfants» de Mercure.

        Maître du Hausbuch (commencement du XVIᵉ siècle).
        B.N. Cabinet des Estampes.

Mercure, sous les traits d'Hermès Trismégiste, chevauche un coursier au caparaçon opulent et tient un étendard décoré d'un renard, signe alchimique (1). L'inspiration est réaliste et ironique. L'orfèvre travaille sous le regard soupçonneux de sa vieille épouse, le couple qui festoie offre à boire au sculpteur, l'horloger scrute le ciel à l'aide d'un sextant. Un maître d'école corrige un cancre: Mercure a horreur des paresseux. Le facteur d'orgues met en place un tuyau, mais l'instrument est inversé par la gravure.

(1) Cf. l'illustration du manuscrit de Cassel (pl. 12).

PLANCHE 17 a. – Les «enfants» de Mercure.

   Hans-Sebald Beham (1500-1550).
   B.N. Cabinet des Estampes.

Le char de Mercure est tiré par deux coqs, oiseaux consacrés à ce dieu dès l'Antiquité. Sur terre, la composition, simplifiée, est réservée aux savants et aux artistes: les artisans sont relégués à l'arrière-plan. L'orgue est un bel instrument à deux rangées de tuyaux et à nombreuses pédales, mais il est à nouveau inversé par la gravure (1).

(1) Une tapisserie des ateliers de Launigen, pour le Kurfurst du Palatinat Ottheinrich (1549), reproduit en grande partie cette composition, mais en l'inversant. Elle porte l'inscription suivante: «ma nature est tumultueuse ainsi que le montre ma figure. Mes enfants sont beaux et subtils: ce qu'ils font est plein de vertus». Vente Galerie Charpentier, 2 déc. 1958, n° 133 F.

PLANCHE 17 b. – Les «enfants» de Mercure.

Graveur vénitien (XVIᵉ siècle), édité par Gabriele Giolito de Ferrare.
B.N. Cabinet des Estampes.

Réduction allégée de l'estampe de Beham et traitée dans le style italien. Mercure, nu, est debout sur son char. Le bel orgue est présenté dans son sens normal. Seuls quelques savants figurent à côté. Au bas du cadre, deux faunes enchaînés symbolisent les instincts charnels dominés par l'intelligence.

.z. *Mercurius filios facit intelligentes, sagaces, æmulatores benesicos, mathematicos, uoti compotes, comectore,*
corpore graciles, pallentes, oculorum intuitu honestos, et potus temperantia mirabiles.

PLANCHE 18. – Les «enfants» de Mercure.

Martin van Heemskerk (1498-1574), gravé par Harmen Muller.
B.N. Cabinet des Estampes.

Estampe vigoureuse: à gauche, un bel orgue positif, analogue à celui de la gravure de Beham. Au centre, une grande table entourée de savants dont deux astrologues, à droite le sculpteur et le peintre. Les artisans sont à nouveau éliminés.

52

PLANCHE 19. – Les «enfants» de Mercure.

Tapisserie. Atelier bruxellois, vers 1570.
Bayerisches Nationalmuseum, Munich.

Très belle tapisserie (1), encadrée d'une riche bordure. Au premier plan, assise devant un luth, une femme joue d'un positif dont le piètement est décoré d'un trophée d'instruments à vent surmonté d'un soleil rayonnant. Un jeune homme couronné, vêtu à l'antique, manoeuvre les deux soufflets. Au second plan, le groupe des artistes, dont un peintre. La supériorité de l'orgue et de la musique sacrée est ainsi mise en évidence. Au fond, Mercure passe sur son char tiré par des coqs.

(1) Sur les tapisseries à sujets astrologiques, cf. Heinrich Göbel: *Wandteppiche*, t. I, 1923, p. 162 à 168.

53

PLANCHE 20. – Les «enfants» de Mercure.

Martin de Vos (1536-1603), gravé par Johann Sadeler.
B.N. Cabinet des Estampes.

Vue panoramique d'un estuaire, parsemé d'îlots et devenu un port actif (1). Le rôle commercial de Mercure est largement célébré. Unique allusion à l'art sonore: la scène du «farceur» et du violoneux divertissant la foule – détail important néanmoins, car il deviendra un thème autonome assez souvent traité surtout avec Tabarin et l'essor de la *commedia dell'arte*.

(1) Une bonne estampe, en hauteur, incisée par Crispin de Pas (1565-1637), également d'après Martin de Vos, représente un paysage analogue: l'histrion est accompagné par deux musiciens. Il existe une copie de cette gravure, en sens contraire.

PLANCHE 21. – Les «enfants» de Mercure.

        Ecole flamande: première moitié du XVIIe siècle.
        Rijksmuseum – Amsterdam.

Joli tableau (1) regroupant les diverses activités des «enfants» de la planète. Avec une mise en scène renouvelée, apparaissent les savants, le peintre, l'horloger, les écoliers, les attributs de la sculpture, le port, les comédiens et musicastres ambulants (2). Pour l'art sonore, il y a des variantes importantes: l'orgue a été éliminé. Le char de Mercure laisse tomber une chalemie, une flûte à bec, un tambour de basque et sur le sol sont disposés un luth, une chalemie, une petite basse de violon à cinq cordes. A gauche, près d'un alundel, des singes (les alchimistes sont les «singes» de la nature) et deux renards font allusion à l'art spagirique.

(1) Peinture analogue avec variantes et signée: Jan Brueghel, vendue à Londres en 1927. Cf. Tervarent. *Gazette des Beaux-Arts*, 1946, pp. 245 et suiv.
(2) Cf. *Gazette des Beaux-Arts*, mai-juin 1969, p. 352.

SUJETS DÉRIVÉS
DES «ENFANTS» DE MERCURE

Les enfants de cette planète ont eu une postérité innombrable, mais très inégalement répartie. Les oeuvres décrivant les ateliers de peintres abondent, celles qui représentent les facteurs d'orgues ou les luthiers à leur travail sont peu nombreuses. Les marchands de tableaux ont aussi occupé une place notable dans l'iconographie: l'un d'eux est même à l'origine de la délectable *Enseigne de Gersaint.* Il n'en a pas été de même pour la musique, en dépit de quelques bonnes estampes du XVIe siècle, d'un tableau intéressant de Carel Fabritius au XVIIe et de charmantes adresses de luthiers au XVIIIe.

Mercure était aussi le patron des organistes et, à ce titre, il a inspiré quelques enluminures ou gravures qui méritent de retenir l'attention bien que certains exécutants n'aient peut-être pas été aussi vertueux qu'il l'eût souhaité.

Enfin, les comédiens populaires ont fait partie de sa descendance et ils ont connu un assez long succès dans les arts graphiques, en particulier grâce à la *Commedia dell'Arte.* Ces estampes fournissent une bonne documentation pour la guitare. Quant au portrait de Francesco Gabrielli, incisé par Carlo Biffi et devenu fort rare, il constitue à lui seul une sorte de petite encyclopédie des instruments de fantaisie utilisés au théâtre (1).

(1) Plusieurs gravures du recueil Fossard (B.N. Cabinet des Estampes) fournissent aussi des exemples d'instruments curieux.

PLANCHE 22. – Portrait de Gaspar Duiffoprugcar à 48 ans, en 1562.

        Pierre II Woeiriot de Bouzey (1532- ?).
        B.N. Cabinet des Estampes.

Duiffoprugcar (de son vrai nom: Tiefenbrucker) a laissé une oeuvre devenue légendaire (1). Le beau portrait de Woeiriot (2) est un document organologique capital. Le modèle tient un luth en cours de fabrication et le compas indispensable pour de nombreuses mesures de précision. Devant lui, une famille de luths, dont l'un, vu en raccourci, porte la marque du Maître, reproduite une seconde fois tout en haut, dans une couronne de laurier. Près de la main gauche, une petite guitare (frettes sur le manche, cordes disposées en ordre inversé, les plus épaisses à gauche). En bas, un luth, dans son étui. Au-dessus, couvrant, en partie, une harpe, un petit violon, court et large, à coins très aigus, caisse rentrant près du manche et ouïes en C. Plus à droite, viole à 5 cordes, frettes sur le manche, carrure tombante, ouïes en f, joli cordier découpé.

---

(1) Au XIXe, les 6 violons, attribués au Maître, ont été reconnus faux. Même la célèbre basse de viole "au plan de Paris" (Musée instrumental de Bruxelles) est des plus suspectes. Cf. Michel Fleury. Commission du vieux Paris, *Bulletin officiel de la ville de Paris*, 14-15 fév. 1960, pp. 327 à 329.
(2) En bas, au-dessus du monogramme à la croix de Lorraine de Woeiriot, jolie devise latine pour la lutherie: "j'ai été vivante dans les forêts: la hache cruelle m'a tuée. Vivante j'étais muette, morte je chante doucement.».

Caspar Duiſoprugcar.
Viua fui, in ſyluis ſ... dura occiſa ſecuri.
Dum uixi, tacui: mortua dulce cano.
æta. ann.
XL   VIII

PLANCHE 23. – L'échoppe de Jubal.

Martin de Vos (1536-1603), gravure de J. Sadeler (vers 1550-1600 ou 1610).
B.N. Cabinet des Estampes.

Composition conçue et exécutée avec verve. Jubal «fut le père de tous ceux qui manient la lyre et la flûte» (*Genèse*, IV, 21). L'estampe montre le luthier biblique et son personnel au travail dans une maison du XVIᵉ siècle: les instruments (cornemuses, flûtes à bec ou traversières, violes) sont de la même époque. Certains servent à faire danser des enfants et des jeunes gens sur la place d'une bourgade fortifiée. (1) C'est la transposition d'une scène du temps du peintre dans la très haute antiquité.

(1) Dans une collection privée, un tableau donné à M. de Vos est semblable à la gravure. Dans une Bible, éditée par Guillaume Le Bé (fin du XVIᵉ siècle ou début du XVIIᵉ), autre représentation des travaux de Jubal. Jost Aman a gravé sur bois *l'Atelier d'un luthier* (vers 1570), mais l'outillage représenté est rudimentaire. Au XVIIIᵉ siècle, Voisard (1746-1812) modernise les instruments fabriqués par Jubal (luth, harpe, lyre).

PLANCHE 24. – «Tout mercier vante sa marchandise».

Peter Brueghel l'Ancien (vers 1525-1569).

Un des 12 proverbes gravés du Maître (1). Le mercier-colporteur vendait, parmi d'autres objets, des filets et des instruments de musique populaires: ici des flûtes à bec et des guimbardes, dites aussi «trompes-laquais» ou «trompes de Béarn» (2), qui figurent rarement dans l'iconographie. Le dialogue avec un bourgeois explique l'attitude des personnages: «*Voicy des rets, trompes et fleutes: telle denree onques vous n'eutes*» «*Va ten, mercier, va ten d'icy: ven ailleurs ta denree aussi*».

(1) Cf. J. Lavalleye: *Lucas van Leyden. Peter Bruegel l'Ancien: Gravures, catalogue complet*, 1966, cf. p. XV.
(2) Cf. Rowland Wright: *Dictionnaire des instruments de musique*, 1941, pp. 77 et 177.

PLANCHE 25. – L'éventaire d'un luthier à Delft.

Carel Fabritius (1624-1654).
National Gallery. Londres.

Perspective habile et curieuse de la place de la Nieuwe Kerk (Nouvelle Eglise). (1). Assis à l'extrémité de son éventaire, le luthier méditatif attend un client qui s'intéresserait au luth à coque piriforme, placé debout contre le mur, ou à la grande basse de viole, vue selon un raccourci audacieux qui laisse apercevoir ses coins droits, ses ouïes en C et met en valeur son chevalet percé d'un coeur entre deux découpures ovales.

(1) Catal. de 1929, p. 115. Ce peintre s'intéressait aux problèmes difficiles posés par la perspective ex: la *Vue d'un escalier*, au Rijksmuseum d'Amsterdam, cf. *Art Quarterly*, 1952, pp. 279-290.

PLANCHE 26. – Adresse de luthier.

> Joseph Melling (1724-?), gravé par Christophe Guérin (1758-1831).
> Musée du Louvre – Cabinet Rothschild.

Charmante gravure pour une réclame. Tout en soufflant dans une trompette, un amour tire le rideau qui dissimulait le magasin de l'artisan. De chaque côté, un cor à deux tours et demi, de gauche à droite: un violon, une basse de violon, une harpe richement ornée, quelques instruments à vent dont un serpent et un basson, puis un triangle ouvert avec sa baguette effilée, une mandore, un piano et dans des cartons (1): les quatuors de Boccherini, les opéras de Gluck, les symphonies de Hayden (*sic*) et des quatuors de Fo... (E.A. Forster?). Au premier plan, entre deux timbales, une cigogne présente la banderole sur laquelle sera inscrite l'adresse du marchand.

(1) A la fin du XVIIIᵉ siècle, divers facteurs d'instruments, comme Cousineau, étaient aussi éditeurs de musique et libraires.

63

PLANCHE 27. – Le réparateur d'instruments.

        Karl Zewy (Vienne 1855-?)
        Coll. particulière.

Tableau «réaliste», mais inquiétant pour les instruments confiés à ce brave artisan à compétence universelle (violons, flûtes, cor d'harmonie, petite caisse) et à outillage rudimentaire (1). A partir du début du XIXe siècle, les «omnipraticiens» étaient devenus nombreux.

(1) Au XVIᵉ siècle, le *Réparateur de luths* de Cornelis Massys relève peu de l'iconographie musicale et beaucoup de la grivoiserie. Cf. *Gazette des Beaux-Arts*, 1969, I, pp. 252 et 253 et fig. 20. Au XIXᵉ siècle, Edouard Hamman a peint *Stradivarius dans son atelier*, en se fiant à sa seule imagination, à deux détails près, cf. *Jaarboek 1973, Koninklijk Museum voor schone Kunsten*, Anvers, pp. 280 à 282.

PLANCHE 28. – L'organiste coquette.

       Ecole allemande vers 1490. Manuscrit astrologique allemand n° 106, f. 62 v.
       Bibliothèque Nationale, Département des manuscrits.

L'orgue circulaire rappelle celui qui symbolise la constellation de la lyre – mais c'est Cupidon qui actionne les soufflets. Aussi la mise en garde est-elle sévère et rappelle que celui qui doit beaucoup à Dieu peut être appelé brusquement devant lui.

PLANCHE 29. – L'organiste et sa femme.

Israël van Meckenen (fin du XVe siècle).
Musée du Louvre – Cabinet Rothschild.

Scène de genre célèbre à juste titre. Dans un intérieur bourgeois, où chaque objet est à sa place, l'organiste va donner un concert intime et se dispose à toucher le clavier d'un positif de table pendant que sa femme s'apprête à actionner les soufflets (1).

(1) Cf. aussi le char de l'organiste dans le *Triomphe de Maximilien* et le portrait d'une organiste dans la suite des *Dames musiciennes* de Tobias Stimmer. Dans un tableau de la fin du XVIIe siècle, attribué à P. de Hooch, intitulé *"le luthier dans son intérieur"* figure un orgue de chambre à deux claviers, avec peut-être un pédalier "à la française" (Giraudon, n° 36-2200).

PLANCHE 30. – Organiste ornant un O majuscule.

Lukas Kilian (1579-1637) A.B.C. Buch,
Staatliche Graphische Sammlung – Munich.

Instrument sacré, tenant dans l'iconographie une place égale à celle de la lyre dans l'Antiquité, l'orgue était tout désigné pour servir à l'ornementation d'une grande initiale: la composition décorative est remarquable (1).

(1) Cf. aussi la charmante lettrine de Plantin pour l'édition (1578) des VIII *Missae quinque sex et septem vocum*, de Georges de La Hèle, compositeur flamand, couronné au Puy d'Evreux en 1576.

PLANCHE 31. – Une représentation de Tabarin.

       Abraham Bosse (1602-1676)·
       B.N. Cabinet des Estampes.

Place Dauphine, Tabarin et son compère Mondor, improvisaient des parades avec une verve intarissable (1). Un joueur de basse, deux violistes (?) et un enfant tournant la manivelle d'un orgue de barbarie accompagnaient les pitreries des deux «farceurs» et meublaient les intervalles séparant deux scènes (2).

PLANCHE 32. – Portrait de Francesco Gabrielli (1588-sans doute 1636).

       Carlo Biffi (XVIIᵉ siècle).
       Bibliothèque Ambrosienne – Milan.

Gravure très rare (3), d'un intérêt exceptionnel pour l'organologie relative aux instruments de fantaisie. Comédien célèbre, grand guitariste, jouant du violon, de la viole, de la basse, de la harpe et de la mandore, inventeur de nombreux instruments de théâtre, Gabrielli (4) était acclamé sur la scène comme bouffon et reçu chez les grands comme virtuose: il était donc à un triple titre, un «enfant de Mercure». Biffi l'a représenté tenant une guitare et son masque de Scapin, entouré d'une auréole d'instruments destinés à émerveiller le public par la découpure des caisses, l'étrangeté des manches, la profusion des cordes, l'anomalie des embouchures et des pavillons, les protubérances des tubes (5).

(1) Voir aussi le frontispice de l'*Inventaire universel des oeuvres de Tabarin* (1622), reproduit dans le livre de M.F. Lesure: *Musica e Società*, fig. 36, et l'ouvrage de M.H. M. Brown, *Music in the French Secular Theater*, p. 69.
(2) L'inscription proclame que:
      «*Le monde n'est que tromperie*
      Ou du moins charlatanerie
      Nous agitons notre cerveau
      Comme Tabarin son chapeau».
(3) Cf. A. Bartsch. *Le peintre-graveur*, t. XIX, p. 81.
(4) Sur F. Gabrielli, cf. *Enciclopedia dello Spettacolo*, t. V, pp. 804 et 805 et la bibliographie citée. Catalogue de l'exposition, à l'Ambrosienne: *Il Secolo Lombardo*, 1973, n° 386, p. 68.
(5) En bas, l'attribut de l'artiste, la guitare à 7 chevilles, donc montée à «l'italienne», fait pendant à une guitare de fantaisie. Les nombreux autres instruments mériteraient un examen approfondi, sujet d'un long article.

Scaramouche

Voicy l'Ornement du Theatre,
Celuy que vous voyez a charmé les Francois,
Il a fait le plaisir de plusieurs de nos Rois,
Par ce que des Louis il estoit Idolatré.

A Paris chez Bonart. rue St Jacques a St Geneviere.

70

PLANCHE 33 b. – Portrait de «Scaramuzza»

> Les Basset, éditeurs – Début du XVIIIe siècle.
> Musée du Louvre – Cabinet Rothschild.

Parodie des portraits d'apparat, enrichis d'attributs et de symboles: ici ce sont des légumes (surtout des choux...), des ustensiles de cuisine et une oie qui en tiennent lieu – mais aussi une belle guitare, vue de face et de dos: une *chitarra battente* (en France: «à la capucine») avec sa caisse à fond bombé et ses hautes éclisses.

PLANCHE 33 a. – Portrait de Scaramouche.

> Les Basset éditeurs – Début du XVIIIe siècle.
> Musée du Louvre – Cabinet Rothschild.

La guitare était l'un des attributs de Scaramouche (1). Ici, elle est montée de sept cordes, «à l'italienne». Le quatrain dédié à l'acteur se termine en épigramme, par un jeu de mots:

> *«Il a fait le plaisir de plusieurs de nos Rois*
> *Parce que des Louis il estoit idolatre».*

(1) Cf. aussi Scaramouche, au milieu des *comédiens italiens,* dans l'almanach de 1689, édité par P. Landry et le portrait de Joseph Tortoriti en Scaramouche, chez Mariette.

MERCURE PROTECTEUR DES ARTS
ET PÈRE DES ARTISTES

Mercure aimait les Arts, les Sciences et les Belles-Lettres – qui, en ce temps, méritaient encore cette épithète. Sa planète avait transmis les mêmes goûts à ses «enfants». En raison de ses inclinations personnelles et de ses descendants astrologiques, ce dieu protégeait les Arts Libéraux et les réveillait après le sommeil où les guerres les plongeaient. Il ne négligeait pas non plus les arts mécaniques, mais ceux-ci faisaient parfois l'objet de tableaux distincts (1). Certaines compositions réunissaient aussi toutes ces activités.

Puis, survint la classification nouvelle des Sciences et des Beaux-Arts, les arts mineurs étant négligés. Le souvenir des liens étroits qui avaient uni la musique et l'astrologie subsista longtemps et au XVIIIe siècle il y est fait parfois encore allusion par un accessoire symbolique (2) ou un rapprochement significatif.

Les «enfants» de Mercure ne furent point ingrats pour leur père et, au cours des siècles, ils lui ont bien des fois témoigné leur fidélité, la Musique y participant volontiers.

---

(1) Cf. la décoration peinte par P. de Grebber à Huis-ten-Bossche (Hollande) représentant Mercure faisant profiter la Peinture, la Sculpture et l'Architecture des bienfaits de l'Abondance.

(2) Le Musée du Conservatoire de Paris conservait une flûte traversière d'ivoire, dite «flûte astrologique», décorée d'étoiles et de lunes. Elle est munie d'une seule clef, ce qui la date du début du XVIIIe siècle. Malheureusement, ce rare et bel intrument a été volé au cours de l'été 1976.

PLANCHE 34. – Mercure éveillant les Arts Libéraux à la fin de la guerre.

      Lucas de Heere (1534-1584).
      Pinacothèque de Turin.

A l'aide de sa baguette d'or, Hermès pouvait donner ou ravir le sommeil (*Iliade*, XXIV, 343, *Odyssée*, I, 47 et XXIV, 3). Pendant les guerres de religion, les activités culturelles avaient été négligées. Dans le tableau, à droite, de furieux combats touchent à leur fin. Au pied des ruines, les Arts Libéraux sont endormis: venu du ciel, Mercure éveille la Rhétorique en la touchant de son caducée, puis ce sera le tour de *Musica*, qui serre un petit luth sous son bras.

PLANCHE 35. – Mercure couronnant les Arts Libéraux.

Attribué à Cornelis de Vos (1585-1651).
(Localisation inconnue).

Dans le lointain, la bataille continue, mais les Arts Libéraux ont repris leurs travaux: Mercure, vient les couronner. A droite figure le *trivium*, à gauche le *quadrivium* avec *Musica* vue de dos, tenant un luth. Près d'elle une basse de violon à quatre cordes, un alto à touche ornée et une chalemie (?).

SEPTEM ARTES LIBERALES.

PLANCHE 36. – Mercure, protecteur des Arts Libéraux.

Cornelis Schut (1597-1655).
B.N. Cabinet des Estampes.

Le dieu assiste à la réunion des sept Arts. *Musica* accompagne sur un orgue (inversé par la gravure) un enfant qui joue de la flûte traversière. Derrière elle, un luth et un ténor de violon à coins aigus et saillants. A côté d'elle, *Astrologia* scrute le ciel.

PLANCHE 37. – Le Commerce et l'Industrie protégeant les Arts.

   Jacob Jordaens (1593-1678).
   Musée d'Anvers.

Titre inexact: en réalité *Allégorie de la Poésie* (1). A l'origine, le tableau était en forme de trapèze, puis fut transformé en rectangle par van Brée en 1824, d'où le manche anormal du luth posé à gauche. Au centre, le Poète est entouré de quatre Muses et protégé par Mercure. Apollon est présent: il tient un archet en arc et un violon archaïque (2) (cordier court, chevalet placé bas, ouïes percées sous les «C»). Près de lui, un *putto* agite un tambour de basque.

(1) Cf. L'excellent article de M. d'Hulst. *Jaarboek 1967 Koninklijke Museum voor Schone Kunsten, Autwerpen*, pp. 131 et suiv.
(2) Ces ouïes placées très bas ne sont pas rares au XVIe siècle et de nombreux exemples en seront cités dans le présent volume. Ce sont sans doute des survivances partielles des quatre ouïes réparties aux coins de la table dans les exemplaires anciens. Cf. la gravure d'A. Altdorfer (1480-1538): *le joueur de viole*.

78

PLANCHE 38. – Le Christ, centre des Vertus et des Arts.

       Jacques Blanchard (1600-1638).
       Bob Jones University – Greenville, S.C., Etats-Unis.

Composition exceptionnelle qui fait penser à la comparaison de saint Justin entre le Christ et Mercure. Au second plan, les vertus théologales et cardinales et, au premier, les arts et les sciences. A gauche, près de l'Astronomie, la Musique tient un beau luth à caisse piriforme. A droite, près de la Peinture, l'Histoire, couronnée de laurier, brandit un instrument à pavillon de trompette mais à embouchure taillée en sifflet et à trous percés dans le tube comme pour une flûte: peut-être un accessoire de théâtre.

PLANCHE 39. – Allégorie des Beaux-Arts.

Francesco de Mura (1696-1782).
(Musée du Louvre).

Belle décoration d'un intéressant artiste napolitain. Seule l'architecture est personnifiée: elle tient son attribut le compas (Ripa: *Iconologia*: architectura). Elle porte une sorte de surplis bleu et or, couleurs des Bourbons. Une pyramide se dresse derrière elle. La sculpture est caractérisée par un buste, la peinture par une palette, la musique par un beau violon (vernis jaune doré, joli chevalet, table percée de grands *f*), posé sur le «*Divertimento primo*» de Haydn (1), écrit pour Charles VII devenu ensuite Charles III d'Espagne. Au-dessus, un globe zodiacal rappelle l'accord de la musique terrestre avec l'harmonie des sphères.

(1) Précision aimablement fournie par M. Nicolas Spinola. Par la suite, en 1786, Haydn avait reçu de Ferdinand IV, roi de Naples, la commande de cinq concertos pour «lira organisata» (vielle organisée).

Planche 40 a. et b. – Armoire ornée de bronzes allégoriques: la Musique et l'Astronomie.

      Charles Cressent (1685-1768).
      Musée du Louvre.

Cressent était grand ébéniste et remarquable sculpteur. Sur des consoles simulées, ornées de guirlandes de fleurs, il a placé deux groupes de *putti*: les uns s'adonnent à la musique (violoncelle réduit à la taille de l'exécutant, flûte traversière entre des partitions, rouleau de feuillets pour battre la mesure), les autres se consacrent à l'astronomie. Les harmonies terrestre et céleste sont une fois de plus rapprochées (1).

---

(1) Sur l'autre armoire, Cressent a représenté les arts plastiques et l'architecture.
    Pour la 2ème moitié du XVIIIe siècle, voir à titre d'exemple, un projet de décor de Marie-Thérèse Martinet rapprochant à nouveau la musique et l'astronomie. B.N. Cabinet des Estampes, Ef. 4.

PLANCHE 41. – Le Triomphe de Mercure.

       Cosimo Tura (1432-1495) et Francesco Cossa (1438-1480) (1).
       Palazzo Schifanoia – Ferrare.

Les «enfants» de Mercure assistaient au Triomphe de leur père (2), debout sur son char tiré par deux aigles noirs. La fresque a été gravement endommagée: la tête et le buste du dieu ont disparu, mais sa main tient encore un curieux instrument à cordes (tête sculptée en haut du manche, frettes sur la touche, rose centrale, éclisses assez basses). Trois musiciens jouent de la chalemie, des commerçants vaquent à leurs affaires. Au fond, sur la pente d'une colline, Argus décapité (3).

(1) La critique moderne hésite sur le nom du collaborateur de C. Tura pour cette fresque, qui n'est pas une des meilleures.
(2) Mercure étant le protecteur du signe du Cancer, cette composition correspond au mois de juin.
(3) Sur l'ensemble de ces décorateurs. Cf. G. Gruyer: *l'Art ferrarais à l'époque des princes d'Este*, t. I (1897), pp. 419 à 448. Eberhard Ruhmer: *Tura-Paintings and Drawings*, Londres 1958, pp. 27 à 34. Manzi Calvesi: Schifanoia e la miniatura ferrarese. *Commentari*, 1961, XII, pp. 38 à 51 et les références citées.

PLANCHE 42 a. – Vitrail allégorique avec le caducée pour Hieronimus Frobenius (1550).

Musée historique de Bâle.

Jean Froben, célèbre éditeur, ami d'Erasme, avait choisi pour marque le caducée de Mercure, sur la tige duquel s'était posé un oiseau, et pour devise «prudens, simplicitas et amorque recti» (1). Son fils Jérôme a repris, dans ce vitrail l'insigne de son père avec, au-dessus, une inscription en grec: «il est sage avec simplicité». Les deux mains tenant le caducée évoquent la bonne foi et la confiance réciproques. En bas, deux sirènes et deux monstres marins symbolisent les adversités possibles du monde. Enfin, deux musiciennes, tenant l'une une guitare, l'autre sans doute un orpharion (2) (d'après la découpure du bas de la caisse) rappellent que Mercure est le dieu de l'harmonie.

(1) Cf. Volkmann: *Bilderschriften der Renaissance*, Leipzig, 1923, p. 73.
(2) Exemple de cet instrument: *Revue du Louvre*, 1963, p. 171, fig. 6.

PLANCHE 42 b. – Sainte Anne, la Vierge et Jésus entre un ange luthiste et saint Paul.

Le «Maître au caducée»: Jacopo de Barbari (1440-1516).
B.N. Cabinet des Estampes.

Mercure étant le «père» des arts, Jacopo de Barbari se considérait comme un «enfant» de sa planète et avait choisi le caducée pour signer ses oeuvres – d'où l'intrusion de cet attribut païen entre sainte Anne et le bel ange luthiste.

PLANCHE 43. – Les «enfants» de Mercure rendant hommage à leur père.

Ecole italienne – 1ère moitié du XVIIIe siècle.
Dresde – Staatliche Kunstsammlungen.

Près d'une table servie, allusion à l'abondance, trois *putti* incarnent la sculpture, la peinture et la musique qui a pour attribut une belle guitare italienne, à table ornée avec goût, et pourvue d'un chevalet et non d'un cordier: en conséquence les cinq cordes doubles doivent être fixées sur l'éclisse inférieure par cinq boutons (1). Le quatrième enfant tient le caducée paternel.

(1) Bel instrument analogue (fin du XVIIe siècle) au Musée du Conservatoire de Paris. Cf. G. Chouquet, *op. cit.* n° 267, p. 66. Alexander Bellow: *the Illustrated History of the guitar* en cite plusieurs autres exemples: reproductions pp. 75, 88, 109 et 120: ce sont des guitares italiennes à fond bombé (battente).

PLANCHE 44. – Les Beaux-Arts rendant hommage à Mercure, (allégorie des Arts).

    Pompeo Batoni (1708-1787).
    Francfort, Städelsches Institut.

Œuvre d'un style académique annonçant le néoclassicisme. Les arts ont leur attribut habituel: la Sculpture: un buste, la Musique: une lyre, la Peinture: la palette, l'Architecture: le compas. Sur les conseils de la Musique, la Peinture représente Mercure traversant le ciel et découvrant ainsi l'harmonie des sphères semblable à celle de la lyre.

MUSIQUE ET «ASTROLOGIE D'EN BAS» OU ALCHIMIE

Hermès Trismégiste avait créé non seulement les sciences mathématiques, dont l'astrologie et la musique faisaient partie, mais aussi l'alchimie. Comme les sphères célestes, la transmutation des métaux devait obéir aux lois musicales qui, croyait-on, régissaient tous les rythmes de la nature. Certaines estampes font ressortir les rapports généraux unissant astrologie, alchimie et musique. D'autres gravures concernent les «adeptes» qui, au cours de leurs recherches, se livraient à de pieuses incantations pour obtenir l'assistance divine. Au contraire, les simples «souffleurs», assoiffés de gain, semblent avoir souhaité, pour réussir, même le concours des démons. Aussi faisaient-ils figurer assez souvent, parmi leur attirail, des objets ou des ossements familiers aux sorciers: ils n'en ruinaient pas moins leur famille dans leurs vaines tentatives.

Dans quelques cas, l'iconographie alchimique transpose simplement celle qui est relative aux «enfants» de la planète «amie» du métal à traiter. Certains livres, pour exposer sous une forme ésotérique les méthodes à employer, ont eu recours à une légende antique ou à une allégorie chrétienne présentant un caractère musical. Parfois même, les emblèmes étaient accompagnés d'un commentaire polyphonique. L'art spagirique méritait alors son surnom d'art de musique – ce qui ne saurait surprendre puisqu'il était placé sous le patronage de Mercure.

PLANCHE 45. – L'union pythagoricienne des sciences.

Frontispice (1) pour *A Plaine and easie Introduction to praticall Musicke* par Thomas Morley (1597). Monogrammé I.B. (John Bettes, 1530 – vers 1580).
British Museum.

En bas, Hermès Trismégiste, père des sciences, est représenté entre les Gémeaux et la Vierge, ses deux maisons astrologiques. Sur les côtés, les quatre sciences mathématiques, dont la musique, et au dessus, six astronomes grecs. En haut, le Temps conduit la Vérité entre les générations. Au sommet, deux allégories alchimiques: le Roi (le Soleil, l'Or), et les noces du Roi et de la Reine (la Lune, l'Argent).

(1) Gravure ayant servi à présenter successivement:
The Cosmografic Glasse de J. Day (1559), *The Elements of Geometrie* d'Euclide (1569) et divers autres ouvrages. En 1963, réédition du livre de Morlay par P. Alec Harman. Cf. aussi, E. Winternitz: *Musical instruments and their Symbolism,* pp. 128 et 129; et Fraenkel: *Decorative Music Title Pages,* n° 63.

A
PLAINE AND
EASIE INTRODVCTI-
ON TO PRACTICALL
MVSICKE,
set downe in forme of a dialogue:
Deuided into three partes,
The first teacheth to sing with all
things neceffary for the knowledge of
prickfong.
The fecond treateth of defcante
and to fing two parts in one vpon a plainfong or
ground, with other things neceffary
for a defcanter.
The third and laft part entreateth of com
pofition of three, foure, fiue or more parts with
many profitable rules to that effect.
With new fongs of, 2.3.4. and .5 parts.

By Thomas Morley, Batcheler of muſick, &
one of the gent. of hir Maieſties Royall Chappell.

Imprinted at London by Peter Short dwelling on
Breedſtreet hill at the ſigne of the Starre. 1597.

VIRESCIT VVLNERE VERITAS

Ptolomeus

Marinus

Aratus

Strabo

Hipparchus

Polibius

Geometria

Aſtronomia

Arithmetica

Musica

MERCVRIVS

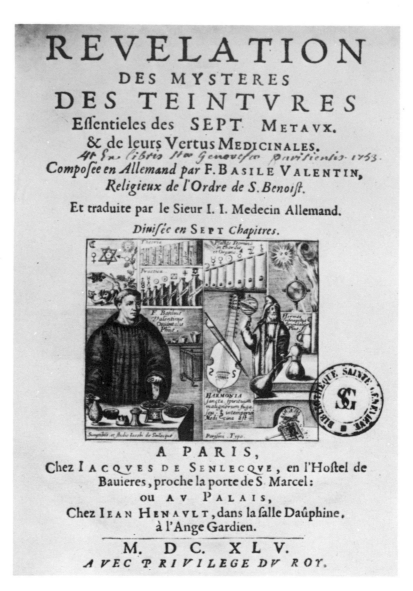

PLANCHE 46. – Révélation du Mystère des Teintures essentielles des sept Métaux et de leurs Vertus Médicinales, par Basile Valentin (1) (traduite par I. I.) 1645.

Frontispice. Ecole française (XVIIᵉ siècle).
Bibliothèque Sainte-Geneviève, Paris.

Gravure d'un intérêt capital pour les rapports entre l'alchimie, l'astrologie et la musique (2). A droite, Hermès Trismégiste tient d'une main un globe zodiacal et pose l'autre sur un alundel. En haut, l'orgue des sept planètes exécute le psaume CL à la gloire de Dieu. Au-dessous, une basse de viole à 7 cordes (les 7 métaux), à ouïes percées sous les C. Une inscription indique que «l'harmonie sacrée met en fuite les esprits malins». A gauche, Basile Valentin dans son laboratoire avec divers traités alchimiques (Geber, Lulle, etc.) et les sept teintures. En haut, une allégorie astrologique et alchimique.

(1) Sur l'existence très conjecturale de Basile Valentin, cf. J. van Lennep: *Art et alchimie*, p. 86.
(2) Cf. catalogue de l'exposition: *Médecins alchimistes*, Salpétrière(entretiens de Bichat), 1964, p. 33, n° 115.

PLANCHE 47. – La recherche de la Pierre philosophale et le concert des Muses.

        Frontispice du Museum Hermeticum, reformatum et amplificatum. Ecole allemande du XVIIᵉ
        siècle. Francofurti, 1677.
        Bibliothèque du Museum d'Histoire Naturelle de Paris.

Bonne gravure et intéressante allégorie. Dans le médaillon du bas, la Nature est symbolisée par une femme à quatre mamelles (1). Celle-ci tient le sceau de Salomon, irradiant la nuit, image de la Pierre, et les fruits qui résultent de cette découverte. Elle est suivie par deux savants: celui qui porte les lunettes de l'expérience progresse plus vite que son rival. De chaque côté, le Soleil et la Lune avec leur maison zodiacale (le Lion et le Cancer). Sur les côtés, les quatre éléments qui concourent à la maturation de la Pierre (à gauche, la Terre et l'Air, à droite l'Eau et le Feu) avec leurs attributs. En haut, deux oiseaux symboliques: le Phénix et le Pélican (2), Minerve et Mercure, et au centre un concert des Muses présidé par Apollon (harpe, luth, trombone, lyre, viole, avec les ouïes sous les C, trompette droite et chant): l'harmonie est indispensable pour la formation de la Pierre.

(1) Cf. Macrobe. *Saturnales*, I, chap. 20, *in fine*. Ripa: *Iconologia*: Inventione, tenant la statue d'Isis aux nombreuses mamelles.
(2) Toute chose destinée à durer ou à renaître. Amour du prochain, mais aussi: «cherche en toi ce qui s'y cache». Cf. Tervarent *op. cit.*, col 304-305 et 302-303.

PLANCHE 48. – L'âne Timon faisant danser les alchimistes.

        Ecole italienne (fin du XVIᵉ siècle). Illustration pour: *Della transmutatione metallica, sogni tre*, de G. B. Nazari (1599).

L'âne Timon, «vraie matière des Sages», souffle dans une trompette pour animer la ronde des alchimistes qui sont «les singes de la nature». Derrière lui, une corne d'abondance rappelle l'âge d'or saturnien et annonce les trésors résultant de la transmutation (1).

PLANCHE 49. – L'adepte dans son «studiolo».

        Hans Vredeman de Vries (2) (1527-1624), gravé par Paullus van der Doort. Illustration pour *l'Amphitheatrum Sapientiae Aeternae* (1609) de H. Kunrath.
        Bibliothèque de la Faculté de Médecine de Paris.

Gravure d'une perspective savante et d'un grand intérêt théorique. A gauche, la fumée de l'encens monte vers Dieu, invoqué par l'alchimiste à genoux sous une tente. Au centre sur une grande table: une harpe, un petit hybride de viole et de violon (coins droits, chevillier en crosse, quatre cordes, ouïes en f sous les «C»), un cistre et un grand luth. Au-dessous, l'inscription «la musique sacrée disperse les esprits mélancoliques et malins» (3). Partout des maximes conseillent le chercheur. Deux éléments essentiels de l'alchimie: le mysticisme (4) et l'art sonore sont ainsi mis en valeur.

(1) Cf. catalogue de l'exposition: «les médecins alchimistes», p. 23, n° 72.
(2) Cf. Exposition des Médecins alchimistes, 1964 – catal. p. 55, n° 207: par suite d'une fausse lecture de la signature l'estampe était attribuée à un graveur «Uriese» qui n'existe pas.
(3) Le célèbre alchimiste français Nicolas Flamel avait fait sculpter sur le portail de sa maison (51 rue de Montmorency, Paris) son image et celle de sa femme, tous deux en oraison, et, au milieu, trois anges musiciens jouant de l'orgue, du psaltérion et d'un instrument devenu impossible à identifier.
(4) Sur les rapports de Vries et des rosicrutiens, cf. J. van Lennep, *op. cit.*, pp. 92 et 93.

PLANCHE 50. – Le «souffleur» dans sa cuisine.

Jan Steen (vers 1626-1679).
Rijksmuseum Twenthe Enschede, (prêt d'une collection privée des Pays-Bas).

Dans une cuisine encombrée d'un amusant fouillis, le souffleur s'acharne dans des expériences ruineuses pendant que sa femme fait un geste désolé et que ses enfants ont faim devant un garde-manger vide. Fait exceptionnel dans les antres de ce genre: un luth est pendu au mur, mais il semble que nul ne s'en serve. Au-dessous, un animal empaillé, avec un bec ouvert, deux cornes, des ailes, une queue: un monstre comme ceux que les sorciers évoquaient. Au plafond, deux coquilles d'oeuf pendues à un cordon. Au-dessous du fourneau, un sablier symbolique et un dessin ou une gravure représentant un hibou et des lunettes – allusion au proverbe: «la chandelle et les lunettes ne servent à rien quand le hibou (l'imbécile) ne veut pas voir» (1).

(1) Dans ce musée, un autre tableau, attribué à Jan Steen, représente le même sujet, mais sans instrument de musique: au plafond un grand lézard empaillé. Catalogue, 1974-1976, N° 173, pp. 100 et 101.
Sur les reproches que la Nature adresse au souffleur Cf. Ch. Sterling. *L'Oeil* 1963, juillet p. 6 à 10 et la belle enluminure de Perréal (collection Wildenstein) reproduite dans *Propyläen Kunstgeschichte*, t. 8, fig. XXXIV, sans allusion à la musique.

97

PLANCHE 51 a. – Le paon alchimique, Vénus et ses «enfants».

Ecole allemande du XVIe siècle: enluminure de *Splendor Solis* de Salomon Trismosin. Germanisches Nationalmuseum – Nuremberg.

Miniature de belle qualité (1), inspirée en partie d'une gravure astrologique de H. S. Beham. Dans le ciel, sur un char tiré par des colombes, Vénus et l'Amour aveugle qui vient de percer d'une flèche un cœur volant. Au-dessous, un grand tabernacle dans lequel est posé un vase de verre contenant un paon qui fait la roue, symbole des diverses couleurs de «l'œuvre» au cours des mutations. Sur terre les enfants de Vénus se livrent à leurs plaisirs: le banquet, la musique (deux chanteuses, deux joueurs de basse de viole aux «C» très creusés et un luthiste), les tendres confidences, la danse au son d'une cornemuse à deux bourdons, enfin la promenade sentimentale à pied ou à cheval. Vénus collabore avec son ennemi Mercure pour réaliser le "Grand Œuvre".

(1) Premier symbole de l'*Opus alchimicum.* Cf. J. van Lennep, *op. cit.* pp. 55 et 56. A la Bibliothèque Nationale de Paris, autre exemplaire de ce manuscrit, mais de moindre qualité.

PLANCHE 51 b. – «La Reine», Mercure et ses «enfants».

Ecole allemande du XVIe siècle: enluminure de *Splendor Solis* de Salomon Trismosin. Germanisches Nationalmuseum, Nuremberg.

Autre belle miniature de la même suite (1), inspirée des «enfants» de Mercure de H. S. Beham. Dans le ciel Hermès Trismégiste sur son char tiré par deux coqs. Dans le vase couronné, la Reine (l'argent) vêtue d'une robe bleue. Sur les bords du tabernacle, les «fleurs» du métal. En bas l'inscription: «Filius natus ex me, major est me»: l'or naîtra d'elle. Sur terre, une ville germanique où les enfants de Mercure se consacrent à leurs laborieuses occupations: la sculpture, la recherche scientifique, l'astrologie, la musique sacrée: un organiste, deux chanteurs, un joueur de saquebute (trombone) ayant posé la main droite sur la barre de traverse qui fait mouvoir la «branche» mobile (2).

(1) Avant-dernier symbole de l'*Opus*. Cf. J. van Lennep *op. cit.*, p. 56.
(2) Cf. Trichet. *Traité des instruments de musique* (vers 1640), pp. 110 et 111.

filius natus ex me, major est me.

101

PLANCHE 52. – Putréfaction et résurrection.

Ecole française – XVIIᵉ siècle – Illustration pour «*l'Azoth ou le moyen de faire l'or caché des philosophes*» de Basile Valentin (1624).
Bibliothèque de la Faculté de Médecine de Paris.

Gravure illustrant d'abord une des *Douze clefs* de Basile Valentin (clef VIII). Dans un cimetière, un semeur disperse de l'or sur la terre. Deux arbalétriers visent le centre d'une cible, symbole de la découverte. Un cadavre se décompose, mais un autre sort de la tombe au son de la trompe dans laquelle souffle un ange (1). Paraphrase alchimique de la métaphore évangélique: «si le grain ne meurt» (Jean, ·XII, 24).

(1) Cf. J. van Lennep. *op. cit.* p. 88. Dans *Azoth*, cette même gravure illustre le premier stade de l'initiation alchimique. *Exposition des médecins alchimistes.* Catal, n° 23, p. 14.

PLANCHE 53 a. – La Terre nourrissant la Pierre.

        Matthäus Merian (1595-1650 ou 1651). Illustration pour *Atalanta fugiens* (1618) de Michael Maïer.
        Bibliothèque Nationale (Imprimés).

PLANCHE 53 b. – Fuga II commentant l'estampe.

Maïer avait choisi la légende d'Atalante (1) pour traduire en langage symbolique la poursuite des recherches de la Pierre que la Terre nourrit comme la chèvre Amalthée Jupiter et une louve Romulus (2).

Pour établir une corrélation aussi étroite que possible entre les travaux alchimiques et la musique, Maïer avait fait correspondre à chaque estampe un canon à trois voix : *Atalanta fugiens* (la voix qui fuit), *Hippomenes sequens* (la voix qui poursuit), *Pomum Morans* (la pomme sur le chemin ou la voix qui retarde).

(1) Atalante ne voulait épouser que le prétendant qui la vaincrait à la course, ce que nul n'avait pu réussir. Hippomène lança devant elle quelques pommes d'or : elle se baissa pour les ramasser, perdit quelques instants ct fut vaincue.
(2) Cf. J. van Lennep, *op. cit.*, pp. 103 à 111.

MERCURE ET SES «ENFANTS» DANS LES ALLÉGORIES DE L'OCCASION ET DU BON GOUVERNEMENT

Ces sujets sont nés de la jonction de deux thèmes: celui de Kairos, la divinité grecque qui offrait aux hommes des occurences propices, et celui de Mercure qui grâce à la paix et à la concorde, apportait l'abondance et favorisait les activités créatrices de ses «enfants».

Les historiens ont relaté la singulière destinée du jeune homme *Kairos*, qui, au Moyen Age, fut assimilé à *Occasio* et à *Fortuna*, toutes deux du genre féminin, si bien qu'il changea de sexe (1). Des analogies formelles rapprochaient ces trois figures allégoriques: leurs ailes, leur passage rapide, l'esprit de décision nécessaire pour profiter de leurs dons. Une seule image signifiait ainsi: opportunité, occasion et fortune. Evidemment, un monarque, plus que tout autre, devait être apte à saisir les conjonctures favorables à son action. Son choix perspicace permettait à la prospérité de s'établir et les «enfants» de Mercure pouvaient œuvrer pour la splendeur de l'Etat.

C'était un magnifique éloge pour un souverain d'être assimilé à Mercure, dieu de l'abondance: Horace l'avait décerné à Auguste (2). Parfois, les attributs du dieu et ceux de ses «enfants» suffisaient pour glorifier le bon gouvernement d'un prince – surtout quand celui-ci pratiquait la «vertu mercuriale», c'est-à-dire le mécénat.

(1) Cf. Panofsky, *Essais d'iconologie,* Gallimard, 1967, p. 108 et la bibliographie, note 4. Voir aussi le bas-relief antique et d'époque classique (Musée de Turin) représentant Kairos qui ressemble un peu à Mercure.
(2) Ode 2. «O toi, si changeant de figure, dieu ailé, tu prends sur la terre les traits d'un jeune homme et accepte, fils de la bienfaisante Maïa, d'être appelé le Vengeur de César, diffère longtemps ton retour au ciel, prolonge avec joie ton séjour parmi le peuple de Quirinus». (Ed. G. Budé, traduction de F. Villeneuve), dans la peinture de Ch. Le Brun pour la Grande Galerie de Versailles: *Louis XIV armant sur terre et sur mer,* le roi est représenté entre Clio et Mercure.
    Les Jésuites eux-mêmes, au XVIIe siècle, se plaisaient à comparer leur rôle à celui de Mercure: cf. Françoise et Henry Bardon: «une gravure d'Antoine Jacquard (1662)», dans la *Revue archéologique,* 1962, pp. 34 à 37.

PLANCHE 54. – Mercure, dieu de l'Harmonie et de l'Abondance.

Ecole flamande (?), fin du XVIe siècle ou début du XVIIe.
B.N. Cabinet des Estampes (Kb. 130).

Emblème commentant la devise: *ex concordia rerum opulentia.* Mercure s'avance d'un pas rapide: d'une main, il tient un violon, encore proche de la *lira da braccio,* symbole d'harmonie, et de l'autre, la corne d'abondance (1), remplie de fruits délicieux.

(1) Sur les deux origines mythologiques de cet attribut bénéfique, cf. Ovide: *Fastes,* V, 121 à 124, et *Métamorphoses,* IX, 85-92 (corne de la chèvre Amalthée ou du taureau en qui Acheloüs s'était changé).

PLANCHE 55. – Allégorie de la Paix, avec les «enfants» de Mercure.

       Martin de Vos (1536-1603), gravé par Karel van Mallery (1576 – après 1631).
       B.N. Cabinet des Estampes.

La Paix tient un rameau d'olivier et la corne d'abondance. Près d'elle, sa fille, la Richesse, présente une bourse et montre un collier de joyaux. Autour d'elles, les attributs des «enfants» de Mercure: palette du peintre, maillet et ébauche du sculpteur, instruments des savants (compas, globe zodiacal, sphère armillaire) et ceux des musiciens (cornet à bouquin, chalemie avec sa «boëte», basse de viole avec chevillier en crosse, frettes sur le manche, ouïes en C, mais 5 cordes seulement). Au fond, maison en construction, comédiens ambulants et transports de marchandises.

108

PLANCHE 56. – Allégorie de l'Occasion.

      Frans Francken II, (1581-1642).
      Collection privée, (Ecosse).

Allégorie complexe. Au centre, la statue de l'occasion avec la mèche qu'il faut saisir et la main droite levée tenant le rasoir qui tranche la destinée. Couché contre le socle (1), le paresseux la laisse passer et s'appuie sur un porc, symbole des instincts les plus bas. Autour, les «enfants» de Mercure. A gauche, le peintre, le sculpteur, les savants, avec le lévrier «vérité» prêt à poursuivre le lièvre «problème» (2). A droite, une femme joue de l'orgue pour accompagner deux chanteurs. Sur une estrade, la Renommée présente un prince à l'Abondance, portant sa corne légendaire. Les hauts dignitaires de l'église et les rois sont présents. Au fond, un paysan laboure son champ en paix et, à gauche, la foule se rend dans un temple pour remercier Dieu de lui avoir donné un souverain habile (3).

(1) Sur le socle, une inscription latine rappelle que l'Occasion a le front chevelu et la nuque chauve.
(2) Cf. E. Panofsky. *Gazette des Beaux-Arts*, 1966, II, p. 326, note 73.
(3) Cf. *Jaarbock 1967. Koninklijk Museum voor Sehone Kunsten*, Antwerpen, pp. 119 à 122.

PLANCHE 57. – Allégorie de l'Occasion.

      Frans Francken II (1581-1642).
      Musée Wawel, Cracovie.

Composition avec d'importantes variantes par rapport à la précédente. Le paysage, le temple et le sculpteur sont supprimés. Le paresseux et le peintre subsistent, les savants sont plus nombreux. La musique est représentée par une nature morte (grand luth, pochette-violon et chalemie). De beaux vases d'orfèvrerie sont ajoutés. La présentation du prince prend bien plus d'importance: peut-être y a-t-il dans ce cas un sous-entendu politique (1).

(1) Le prince ressemble un peu à Henri IV, dont un Francken avait été le peintre. Cf. P.M. Auzas: *Hierosme Francken, dit Franco, peintre de Henri III et de Henri IV*, Bruxelles, 1968. Peut-être y a-t-il aussi une allusion indirecte au faux Dimitri. Cf. *Gazette des Beaux-Arts*, 1966, pp. 134 et 135 et les objections de M.E. Panofsky, d°, 1966, pp. 319 et 320.

PLANCHE 58. – Allégorie de l'Occasion en Proche-Orient.

        Atelier de Frans Francken II.
        Musée du Périgord à Périgueux.

Curieuse transposition du sujet (1). Au centre, la statue de l'Occasion. A gauche, un peintre représente Vénus et l'Amour, un sculpteur taille une colonne près d'un buste romain et d'une statue de la Juste Fortune (?), puisqu'elle tient le caducée. A droite, le paresseux et son porc. Au premier plan, des géomètres s'affairent autour d'un globe terrestre, plus loin, une femme joue de l'orgue pour accompagner un luthiste et un violoniste. Le prince est, à nouveau présenté à l'Abondance, mais devant des sultans. Plus loin, une course de chevaux. A gauche, au fond, pour remercier Dieu, un cortège, précédé de porteurs de torches, conduit des taureaux, parés pour le sacrifice, vers la tholos.

(1) Peut-être une allusion à l'illustre Abbas 1er (1557-1628). Dans la *Boutique du marchand Snellinck*, peinte par Jérome Francken II (Musée de Bruxelles), figure une allégorie analogue avec variantes. Cf. *Gazette des Beaux-Arts*, 1966, I, pp. 135 à 141 et fig. 9.

PLANCHE 59. – Félicité de la Régence de Marie de Médicis.

Jacques de Fornageris (XVIᵉ – XVIIᵉ siècles) B.N. Cabinet des Estampes.

Composition compacte. Couronnée de laurier, Marie de Médicis tient la corne d'abondance et un glaive lauré. A gauche, sur le sol, les instruments et les livres des astrologues ainsi que la palette du peintre. A droite, un luth, un ténor de viole, un tambour de basque, une saquebute, un basson, un cornet à bouquin et un orgue positif. Au fond, une chasse et un port, un banquet et un tournoi. Sur le piédestal, deux bas-reliefs (la justice et la paix – le loup et l'agneau buvant à la même fontaine) encadrent un quatrain à la gloire de la souveraine.

Apres tant de sang et de larmes
Ie suis heureuse desormais
La guerre est morte par mes armes
Mes armes sont viure la paix.

PLANCHE 60 b. – Détail: les «enfants» de Mercure.

PLANCHE 60 a. – Félicité de la Régence.

Pierre-Paul Rubens (1577-1640) – Histoire de Marie de Médicis.
Musée du Louvre.

Transfiguration par un très grand génie de l'allégorie laborieuse de Fornageris. Rubens décrit «l'état florissant du royaume ainsi que le relèvement des sciences et des arts par la libéralité et la splendeur de Sa Majesté» (1). La Reine tient en main la balance (qui est aussi un attribut de la Fortune) et assure ainsi l'équilibre du monde. En avant, l'Abondance renverse sa corne.
De jolis putti personnifient la Musique (flûte de Pan, un des créateurs de l'art sonore), la Peinture (pinceaux) et les Sciences. L'un d'eux tire les oreilles d'âne de l'Ignorance, cette vieille ennemie de Mercure, et foule aux pieds la tête de l'Envie.

(1) Lettre à Peiresc du 13 mai 1625 cf. *Le Storie de Medici di Rubens al Lussemburgo*, texte de Jacques Thuillier et supplément de Jacques Foucart, p. 120. Sur l'identification et la description des personnages allégoriques, cf. *ibid.* p. 87 Mautour: *description*. Sur les esquisses, dessins et copies, références, *ibid.*, pp. 87 et 88. Texte de la lettre: *correspondance de P.P. Rubens traduite par P. Colin, t. II, 1927, pp. 14 et 15.*

116

PLANCHE 61 b. – Détail: les instruments de musique entourant le caducée et les cornes d'abondance.

PLANCHE 61 a. – La Félicité du Royaume.

Tapis de la Savonnerie, d'après un carton de Charles Le Brun.
Musée de Versailles.

Un des 93 tapis, commandés par Louis XIV pour décorer le sol de la Grande Galerie du Louvre. Le sujet: *la Félicité*, est connu grâce à l'inventaire de Berbier du Mets (1). Au centre, le chiffre couronné du roi. Sur chaque côté, la tête laurée d'Apollon, personnification mythologique du monarque. Aux deux extrémités, le caducée, signe de paix, de sagesse, de science et de vertu (2), deux cornes d'abondance contenant des fruits symboliques et enfin de beaux instruments de musique évoquant l'harmonie régnant dans l'Etat (basse de violon, à quatre cordes portant ombre, viole de gambe à chevillier en crosse, luth avec frettes sur le manche et côtes saillantes sur la caisse, harpe à console caractéristique du XVIIᵉ siècle, deux chalemies, cor semi-circulaire). Aux quatre coins, pots à feu: allégorie de l'intelligence éclairant l'action.

(1) Nº 225, 84ᵉ tapis de la suite. Pour une étude détaillée, Cf. *Revue du Louvre*, 1973, nº 2, pp. 95 à 100.
(2) L'éloge d'Horace, à Octave, incarnation de Mercure, pour sauver l'unité de l'Etat, pouvait aussi s'adresser à Louis XIV après la Fronde. En haut de l'Arc de Triomphe dessiné par J.B. Corneille et gravé par J. Mariette, pour célébrer Louis XIV protecteur des Académies, figure le caducée, allusion à la vertu «mercuriale» du roi. Cf. François Lesure: *L'Opéra classique français* (éd. Minkoff), Pl. I.

PLANCHE 62. – Allégorie en l'honneur de Philippe d'Orléans (1674-1723), Régent de 1715 à 1723.

Ecole française, vers 1710-1720.
Cabinet des Dessins du Musée du Louvre.

Dessin d'une exécution preste et brillante. Le blason de la famille d'Orléans (1) est présenté par la Renommée et deux Amours. Bon général, Philippe d'Orléans s'était distingué à Neerwinden (1693), en Italie (1706), en Espagne (1707-1708): Mars présente son portrait et désigne le char du Triomphe et un obélisque surmonté d'une Victoire. A droite, statues de Minerve et d'Apollon, à gauche celle d'Hercule. Ce prince, ami des Arts, remarquable connaisseur, méritait d'être célébré par les «enfants» de Mercure, des *putti* s'adonnant à la sculpture, à la peinture, à la musique: violoncelle, violon, chant, tympanon (?). En arrière, un savant travaille près d'une sphère. Au fond, le Temple de la Gloire.

(1) «D'azur, à trois fleurs de lis d'or et lambel d'argent en chef». Cf. J.B. Rietstap. *Armorial général,* 2ᵉ éd., t. I, p. 269 et *Armorial général illustré,* t. I, pl. CCLXXXVIII.

VÉNUS, DÉESSE MUSICIENNE,
ET LES «ENFANTS» DE SA PLANÈTE

La notice imprimée sous la gravure attribuée à Baccio Baldini résume les caractères essentiels de la planète: «Vénus est un signe féminin, placé dans le troisième ciel... elle aime les beaux vêtements ornés d'or et d'argent, les chansons, les fêtes et les jeux; elle est voluptueuse, possède un agréable langage, de beaux yeux... elle intéresse les autres par sa beauté, elle est portée sur les jeux de hasard. Jupiter est son ami, Mercure son ennemi; elle a deux lieux de séjour, le Taureau pendant la journée, la Balance durant la nuit; son confident est le soleil, l'exaltation de sa course est le signe des Poissons, son humiliation et son occultation celui de la Vierge».

Vénus a de nombreux attributs en raison de la diversité de ses rôles. Sa parure est, en général, faite de perles, nées comme elle d'une coquille. Le miroir est l'insigne de sa coquetterie. De nombreux symboles sont relatifs à l'amour qui a de multiples caractères. La longue flèche de la déesse est une allusion à la passion qu'elle inspire: elle frappe de loin, d'une manière soudaine et cruelle. Les animaux prolifiques qui l'entourent souvent rappellent qu'elle incite au renouvellement des générations. Parfois, le dauphin lui sert de messager. Elle est couronnée de roses pour célébrer le plaisir. Elle tient une branche de myrte ou un coing, promesse de mariage. La torche et le cœur enflammé, percé de flèches, révèlent ses feux et ses blessures. Elle emprunte parfois certains attributs à la Fortune ou à l'Occasion, car elle est versatile. Les instruments de musique, surtout le luth, sont ses auxiliaires. Il arrive qu'elle soit accompagnée par une étoile: sa planète se lève dès que le soleil se couche. La Vénus charnelle peut avoir près d'elle des masques: le vice n'ose pas montrer son visage. La Vénus domestique a droit à une tortue, modèle de ses vertus.

La connaissance de cette emblématique complexe est indispensable pour comprendre les allégories composées par les artistes pendant plus de trois siècles: certains symboles sont encore en usage après 1700. B. Probst a tenté de rénover l'ensemble du thème au XVIIIᵉ siècle, sans grand succès. Toutefois, Boucher a encore conçu un bien joli tableau inspiré par la distinction platonicienne des deux amours.

PLANCHE 63. – Vénus jouant du luth.

Attribué (1) à Micheli Parasio (1516-1578).
Musée de Budapest.

Exemple exceptionnel d'une Vénus exécutant de la musique. Parée de perles, la déesse s'apprête à chanter en s'accompagnant sur un luth. Cupidon lui présente un cahier de format à l'italienne et porte la couronne de laurier qu'il lui décernera. La pose de la main droite est bien observée, avec le petit doigt, placé sur la table pour servir de pivot. La rose est finement ouvragée, mais l'instrument n'est tendu que de sept cordes (le nombre était à l'époque de 11 ou 13). Aucune frette n'est visible sur le manche, peut-être par suite de nettoyages trop poussés.

(1) Berenson, qui n'avait pas identifié le sujet: «lady playing guitar» (*sic*), attribuait l'œuvre à Domenico Brusasorci, cf. *North italian painters of the Renaissance*. 1907, p. 177. Pour la bibliographie, cf. catal. de l'exposition du Musée de Budapest à Bordeaux, 1972, n° 17 (sauf une référence inexacte: Venturi: *Storia dell'arte italiana*, IX, 4, pl. 747 et no 1050).

PLANCHE 64. – Vénus et l'Amour.

    Jan Collaert (XVIe siècle).
    B.N. Cabinet des Estampes.

Vénus a pris une petite flèche à Cupidon qui la supplie de la lui rendre. Autour d'eux sont disposés, un luth à 11 cordes, une viole de bras, une flûte, un cistre et un cornet.

PLANCHE 65. – Allégorie de la Musique ou le choix de Vénus.

François Boucher (1703-1770).
National Gallery of Art (Washington). Samuel H. Kress Collection.

Les colombes, les roses et les armes de Mars identifient Vénus, assise près d'un cahier de musique ouvert. Deux Amours lui tendent l'un une flûte à bec, symbole érotique évoquant la Vénus vulgaire, l'autre la lyre à sept cordes qui correspond à l'harmonie des sphères, donc à la noble Uranie, la Vénus céleste. La déesse regarde la flûte mais choisit la lyre. Sur le sol, la trompette de la renommée fera connaître cette préférence et la couronne de laurier la récompensera: ainsi, ce peintre galant, n'ignorait pas le *Banquet* de Platon.

PLANCHE 66. – Les «enfants» de Vénus.

        Ecole allemande, 1ère moitié du XVe siècle. Manuscrit astrologique de 1445 (1).
        Landesbibliothek, Kassel.

En haut, Vénus tient le miroir (2), qui est son attribut astrologique et un étendard décoré d'un singe, symbole de la luxure (3). De chaque côté, les deux «maisons» de la planète; le Taureau et la Balance. Au-dessous, dans la campagne, des couples se promènent ou se caressent pendant que des musiciens jouent du luth, de la harpe, de deux chalemies et qu'un cinquième souffle dans une trompette en l'honneur de la déesse.

(1) Cf. R. Kautsch: Planeten Darstellungen aus dem Jahre 1445. *Repertorium für Kunstwissenschaft*, t. XX, 1897, pp. 32 à 40, Vénus: p. 37.
(2) Cet attribut a joué un rôle important dans la composition de divers chefs-d'œuvre, où la musique n'intervient pas. Cf. *Art Bulletin*, 1934, pp. 358-384.
(3) Cf. Janson: *Apes and ape love in the Middle Ages and the Renaissance*. Studies of the Warburg Institute, vol. XX, 1952, p. 261. Le singe se regarde dans un miroir, fasciné par son reflet: symbole de l'esclavage résultant de la sensualité.

PLANCHE 67 – Les «enfants» de Vénus.

> Ecole allemande vers 1490. Traité d'astrologie. Ms allemand 106, fol. 62.
> B.N. Département des manuscrits.

En haut, dans un cercle, entre ses deux «maisons» zodiacales, Vénus, assise, tient son miroir et une torche enflammée (1). Autour, quelques constellations dont le dragon et le cancer (?). Au milieu, à droite la Vénus domestique travaille à son métier, mais un cavalier la dédaigne. Il porte un drapeau orné d'un coq, un des symboles de la luxure (2), et se dirige vers la Vénus charnelle qui tient à nouveau le miroir. En bas, un repas galant au son d'un luth et d'un orgue positif.

(1) Origine dans le *Roman de la Rose*: «Elle tint un brandon flamant» (vers 3 424). Exemples assez fréquents dans l'iconographie de la Renaissance.
(2) Cf. *La Luxure* d'Aldegrever. Hollstein: *German engravings*, t. I, p. 61.

PLANCHE 68 – Les «enfants» de Vénus.

>Enluminure de Cristoforo de Predis pour le Codice de Sphera (XVᵉ siècle).
>Bibliothèque Estense – Modène.

Une jolie miniature. Vénus, couronnée de roses, drapée dans sa chevelure et vêtue seulement de son étoile, est présentée debout entre la Balance et le Taureau. Elle tient son miroir et un bouquet. Au-dessous, dans un pré bordé d'arbres, deux musiciens jouent du luth et de la harpe. Une femme offre une fleur à son amoureux, un couple se promène, un autre devise tendrement.

PLANCHE 69. – Les «enfants» de Vénus.

Attribué à Baccio Baldini (vers 1460).
British Museum.

Première tentative pour une représentation d'ensemble du sujet. Dans le ciel, un char tiré par des colombes, emporte Vénus, qui tient sa grande flèche et Cupidon, aux yeux bandés. Le siège est décoré de l'étoile du berger, les roues: du Taureau et de la Balance. Sur terre, les divertissements des «enfants» de Vénus: caresses échangées, amant couronné au son d'un luth, danse rythmée par un tambour de basque (1), bain en commun près d'une collation. Dans le lointain des cavaliers se hâtent vers ce lieu de plaisir (2).

(1) Cet instrument était en Italie un symbole de l'amour charnel. Cf. *Art Bulletin*, 1965, pp. 403 et suiv., *Gazette des Beaux-Arts*, 1973, I, p. 145.
(2) Comme pour les « enfants» de Mercure, il a été incisé une bonne répétition en sens contraire.

PLANCHE 70 a – Les «enfants» de Vénus.

Ancienne école des Pays-bas (fin du XVe siècle).
B.N. Cabinet des Estampes.

La déesse, nue, mais avec son étoile (1), tient une roue comme la Fortune et de plus un rameau de myrte (2). De chaque côté: le Taureau et la Balance. En bas, le bain galant près de la table servie. La musique a été renforcée: harpe, luth, chalemies, trompette, chant. Deux couples se caressent. Au son d'une flûte à deux doigts et d'un tambourin, un garçon culbute une fille.

(1) Cf. une Vénus comparable, mais d'exécution très supérieure, par le monogrammiste C.C.
(2) Cf. Virgile. Eglogues, VII, vers 62. Ovide, Fastes IV vers 139-144.

PLANCHE 70 b – Les «enfants» de Vénus.

Dessin colorié. Manuscrit astrologique du XVIᵉ siècle.
Oxford Bodleian Library. Rawlinson, Ms. 1220, p. 31 v.

Copie simplifiée et médiocre de la gravure précédente: le paysage a disparu et les personnages sont trop serrés.
En outre, la mise en page a fait disparaître une partie des scènes (1).

(1) Cf. F. Saxl und H. Mere. *Catalogue of astrological and mythological illuminated manuscripts of the latin Middle Ages*, t. I, p. 403.

PLANCHE 71 – Les «enfants» de Vénus.

      Le Maître du Hausbuch (début du XVIe siècle).
      B.N. Cabinet des Estampes.

Remarquable composition, souvent ironique. Vénus tient une flèche longue comme une lance et son cheval porte un étonnant caparaçon. Sur terre, le bain galant commence: une vieille apporte des fruits et du vin. Quatre couples s'avancent au son d'une flûte, d'une chalemie et d'une trompette dont le panonceau porte l'image du soleil, confident de Vénus. Des jeunes gens jouent aux cartes. Deux danseurs exécutent une moresque effrénée, au son d'une flûte à deux doigts et d'un tambourin. A droite, une vieille tourne la manivelle d'une vielle et son voisin souffle dans une ture-lure, instrument érotique, comme le prouve d'ailleurs un garçon renversant une fille.

Planche 72 – Les «enfants» de Vénus.

Hans-Sebald Beham (1500-1550).
B.N. Cabinet des Estampes.

Le char de Vénus est ici décoré à l'arrière d'un dauphin messager des amours secrètes (1). Les cheveux de la déesse flottent en avant comme ceux de l'Occasion. Cupidon vient de percer d'une flèche un cœur qui vole et dont les ailes sont un symbole d'inconstance.

Sur terre, une harpe et un cornet droit accompagnent un duo. Un luth et une basse de viole jouent pour deux amoureux. Plus loin, le bain habituel, la promenade, le festin sous le péristyle d'un palais. Sur la terrasse, trois musiciens (tambour, flûte traversière, trompette) sont chargés de la «musique de table» (2).

(1) Ovide, *Fastes*, vers 81. Aulu-Gelle, *Nuits Attiques*, VII, 8.
(2) Cf. la tapisserie tissée, entre 1547 et 1549, à Launingen pour le Kurfürst Ottheinrich du Palatinat, d'après des dessins de H.S. Beham. Les scènes sont resserrées et inversées. L'inscription relative à la planète précise: «mon tableau est féminin. Il n'y a pas de blessure que je ne guérisse gaiement et joyeusement». Vente, Galeric Charpentier, 2 déc. 1958.

PLANCHE 74 – Les «enfants» de Vénus.

       Virgil Solis (1514-1562).
       Musée du Louvre (Cabinet Rothschild).

Version simplifiée du thème. Dans le ciel, Vénus brandit, au lieu de sa torche, une grande flèche enflammée, ce qui est rare (1). Devant elle, son signe astrologique, directement inspiré du miroir qui est son attribut. Sur terre, le bain habituel et un repas galant. Près de la table, un barbon courtise une chanteuse peu farouche, accompagnée par une luthiste.

PLANCHE 73. – Les «enfants» de Vénus.

       Graveur vénitien du XVIᵉ siècle, édité par Gabriele Giolito de Ferrare.
       B.N. Cabinet des Estampes.

Gravure inspirée de celle de Beham, mais avec un style que l'original n'atteignait pas. Vénus et Cupidon gagnent en vie. Sur terre, le sujet est résumé en un concert galant. Le groupe central pyramide habilement. Au centre, une luthiste, inversée, pince les cordes avec la main gauche: elle est placée entre un harpiste dans la force de l'âge et un barbon qui tient une flûte à bec dont la «fenêtre» est visible. Trois couples amoureux se caressent. L'estampe marque un progrès plastique, mais le répertoire des scènes s'appauvrit.

(1) Autre exemple au revers d'une médaille pour don Rodrigo Bivar y Mendoza, cf. Hill: *A corpus of Italian medals of the Renaissance before Cellini*, nº 858, pl. 138.

PLANCHE 75. – Les «enfants» de Vénus.

Tapisserie. Atelier bruxellois, vers 1570.
Bayerisches Nationalmuseum. Munich.

Tapisserie de haute qualité (laine et soie), une des pièces les plus réputées du Musée (1). Devant une élégante pergola, un musicien joue de la lyre, fait exceptionnel dans l'iconographie de Vénus. C'est un instrument de théâtre, élégant, mais dépourvu de caisse de résonance: il sert, néanmoins, à accompagner le duo d'un homme et d'une femme. Plus loin, un couple s'embrasse, un autre part pour la promenade. Au fond, à gauche, la danse et, à droite, le bain. Dans le ciel passe le char de Vénus et de Cupidon. Beau décor végétal et floral. Riche bordure avec, aux quatre coins, Jupiter, Junon, Saturne, Vénus, tenant sa grande flèche, et l'Amour.

(1) Cf. *Gazette des Beaux-Arts*, 1946, II, pp. 243-244. Catal. du Musée, 1955, p. 63.

VENVS·

REGIONES
Arthiopia, Affiria, Austria, Cafpia, Délphinatum,
Lisonia, Sabaudia, Sarret, Thebas, Troglodita.
CIVITATES
Arelatum, Argentina, Caieta, Lauda, Placentia,
Spira, Sugdia, Venetia, Vienna, Vlissona.

At secunda Venus cunctarum semina rerum
Possidet, æquatæ iusto sub pondere Libræ,
Dum ferus à Diuæ Taurus cornicibus hæret.
Arua tenet Thebana, Papho vicinaqʒ Cypro

Littora, palmiferos Arabas, terrasqʒ ferentes
Delitias, variaqʒ novos radicis odores.
Laudis amore auidas mentes dat, corpora tarda,
Et graciles calamos, modulataqʒ vocibus ora.

REGIONES
Afia, Cyprut, Franconia, Heluetia, Lotharin-
gia, Media, Perfia, Polonia, Rufia, Suetia.
CIVITATES
Bononia, Borgum, Bol´na, Liguia,
Mantua, Señe, Tarentum.

Ioin. Sadler sculp. et excud.   M. de Vos figura.

PLANCHE 76. – Les «enfants» de la Vénus charnelle.

Martin de Vos (1536-1603), gravé par Johann Sadeler.
B.N. Cabinet des Estampes.

M. de Vos utilise à nouveau une vue panoramique. Dans le ciel, la Vénus charnelle encourage Cupidon. Son miroir est fixé à l'arrière du char sur le bas duquel sont posés deux masques, symboles des vices qu'elle inspire. A perte de vue, sur des îles, la ville montre ses riches monuments. A gauche, deux petits concerts sont donnés: l'un avec un trio de chanteurs accompagnés par une harpe, l'autre avec deux luths, une flûte traversière et une basse. Plus loin, une gondole, parée de verdure, part pour une promenade. A droite, les excès et les batailles provoqués par les passions, nées de l'oisiveté, filles de l'opulence et inspirées par Vénus.

135

PLANCHE 77. – Les «enfants» de la Vénus domestique.

       Martin de Vos (1536-1603), gravé par Jan Collaert.
       B.N. Cabinet des Estampes.

Sujet formant antithèse avec celui de la composition précédente. La Vénus domestique reste immobile au-dessus du ménage qu'elle protège. Elle a renoncé à sa flèche et l'amour lui remet la sienne. Les deux colombes sont posées sur sa main. Sur terre, la bonne épouse, telle Pénélope, travaille à son métier. Une de ses trois filles s'initie à la technique de la dentelle, les deux autres jouent du cistre et du luth. La père tient un faucon domestique, signe de noblesse. Il pourra s'absenter sans crainte: son foyer sera bien gardé. A gauche s'avance la petite tortue symbolique, comme celle que Phidias avait sculptée pour sa Vénus d'Elis.

136

PLANCHE 78. – Vénus et ses enfants.

Crispin de Passe (1585-1637) *invenit et sculpsit.*
B.N. Cabinet des Estampes.

Dans cette belle estampe, Crispin de Passe se souvient de Goltzius. Vénus est descendue sur terre. Elle tient un cœur enflammé et incite Cupidon à se servir de son arc. Au fond, un cygne, symbole de la musique, nage devant les «enfants» de la planète qui jouent du luth, chantent, se caressent ou s'apprêtent à danser: ils ne sont plus que l'accessoire. Le thème est en cours de dissociation. Dans les angles, comme écoinçons, les deux colombes aux ailes éployées et deux cœurs enflammés, percés chacun de deux flèches (1).

(1) Pour des exemples analogues, en particulier de Goltzius. cf. Tervarent, *op. cit.* col. 103.

LES SUJETS DÉRIVÉS DES «ENFANTS» DE VÉNUS

Dès le XVIe siècle, les compositions complexes consacrées aux «enfants» de Vénus ont commencé à se dissocier. Divers thèmes ont bénéficié du prestige de l'astrologie qui facilitait leur compréhension, mais de toute manière, certains d'entre eux se seraient largement diffusés pour des motifs esthétiques ou moralisateurs. Grâce à Titien, «Vénus et le musicien» occupe une place privilégiée dans l'art. Au contraire, en dépit de son charme, «l'amant couronné» n'a inspiré que peu d'œuvres. Les concerts et les repas galants se sont multipliés, mais surtout, pendant longtemps, pour exprimer un blâme implicite de la débauche. En raison de son caractère audacieux, le bain mixte n'a obtenu quelque succès qu'au XVIe siècle: ultérieurement il est parfois transposé en scène mythologique. La danse, en tant que sujet, a connu une vogue durable, d'abord pour la condamner comme plaisir impudique, immoral ou ridicule, puis, lorsque son caractère sexuel s'est atténué, pour l'agrément des scènes qu'elle permettait de présenter.

L'histoire de plusieurs de ces thèmes pourrait fournir matière à un long chapitre: dans les cas où l'évolution est facile à reconstituer, il a paru suffisant de montrer comment, à ses débuts, elle se rattachait à l'astrologie.

PLANCHE 79 a. – Vénus et l'organiste (1).

        Titien (1489-1576).
        Musée du Prado – Madrid.

Nonchalante et voluptueuse, Vénus se plaisait à entendre de la musique. Cette délectation a inspiré des chefs-d'œuvre à Titien (2). Ici, Aphrodite porte une riche parure de perles et l'Amour la caresse. Un élégant cavalier, portant une épée – peut-être une allusion à Mars – lui donne un concert d'orgue. Il interrompt son morceau pour la regarder: hommage rendu par la musique à la beauté plastique, comme l'a indiqué M. E. Panofsky (3). Dans la perspective d'un parc, un faune porte l'urne de la fontaine d'amour et des cerfs symbolisent l'ardeur sexuelle. Au fond, un fleuve rappelle l'écoulement inéluctable du temps.

(1) Cf. R. Palluchini: *Tiziano*, Florence, 1969, t. I, p. 290, nº 1548c, t. II, fig. 338 et 339.
(2) Sur les hypothèses émises au sujet de ces œuvres, cf. F. Lesure: *Musica e Società*, commentaire de la planche 38.
(3) *Problems in titian mostly iconographic*, p. 125.

PLANCHE 79 b. – Vénus et l'organiste.

Titien (1489-1576).
Musée du Prado – Madrid (1).

Répétition avec variantes du tableau précédent. La pose est un peu différente et la déesse caresse un petit chien qui était souvent un symbole de l'amitié ou de l'amour, en raison de l'affection que cet animal porte à son maître, comme l'a rappelé Valeriano (*Hieroglyphica*, V).

(1) Cf. R. Palluchini; *op. cit.* t. I, p. 293, n° 1548-50 c. et t. II, fig. 348 et 349. Autre exemplaire au Musée de Berlin, t. I, p. 295, n° 1550, et t. II, fig. 365 et 366.

PLANCHE 80. – Vénus et le luthiste (1).

       Titien (1489-1576).
       Métropolitan Museum – New York.

Alors que la première Vénus du Prado est considérée comme remontant à 1550 environ et la seconde comme étant sensiblement plus tardive, celle du Metropolitan Museum pourrait être datée de 1562 à 1564. Cupidon va couronner sa mère, reine de beauté. La déesse tient une flûte à bec, instrument au sens érotique. Le musicien joue du luth et s'apprête à chanter puisqu'un cahier est ouvert près de lui. En détournant la tête, il va puiser une nouvelle inspiration dans la contemplation de la beauté. Sur le fleuve proche, des cygnes symbolisent la musique. Sous les ombrages des personnages dansent au son d'une cornemuse, instrument dont la forme a suggéré des métaphores scabreuses dans divers tableaux.

(1) Cf. R. Palluchini: *op. cit.*, t. I, p. 316, n° 1562, t. II, fig. 478. Autre exemplaire au Fitzwilliam Museum, Cambridge, t. I, p. 316, n° 1560, t. II, fig. 477.

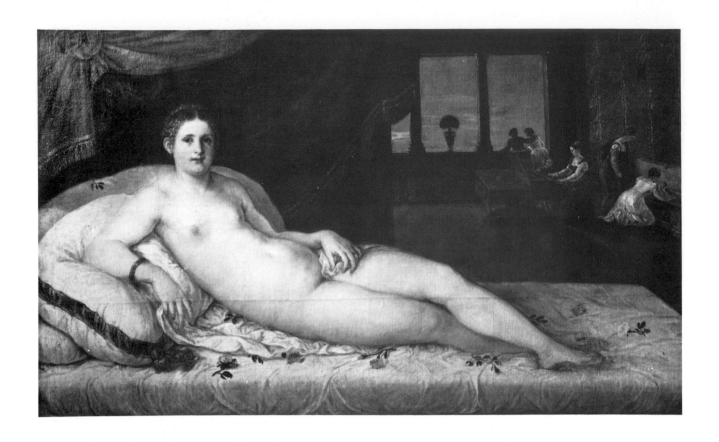

PLANCHE 81. – Vénus et la virginaliste.

      Lambert Sustris (vers 1540-1599).
      Rijksmuseum, Amsterdam.

Peintre allemand, très italianisé, Sustris avait subi profondément l'ascendant de Titien comme le prouve cette belle Vénus, étendue sur une couche semée de roses, attributs de la déesse. Au fond, une musicienne joue du virginal. Un couple, tendrement uni, regarde par la fenêtre. Près d'un coffre, deux servantes s'affairent pour choisir les vêtements qui vont parer leur maîtresse.

PLANCHE 82. – Mars et Vénus (daté: 1590).

Gillis Congnet (1535-1599). Signé (localisation inconnue).

Ce peintre auversois qui a voyagé en Italie et terminé sa carrière à Hambourg, garde un fort accent nordique, en dépit de son admiration pour Titien. Le tableau a été exposé à Leipzig en 1933. Toujours parée de perles et caressée par l'Amour, Vénus lève la coupe des plaisirs en l'honneur de Mars. Assis sur un tambour, près d'un trophée d'armes, le dieu de la guerre joue du virginal (la barre des sautereaux est visible). Une collation galante est préparée près d'eux. Au loin, le couple chevauche pour accomplir une promenade sentimentale.

PLANCHE 83. – Vénus et le jeune luthiste. (Adolescentia Amori).

Crispin de Passe (1565-1637)
B.N. Cabinet des Estampes.

Vénus se levait parfois de sa couche pour séduire un beau luthiste (1) qui est ici entouré d'instruments de musique: basse de viole, cistre, cuivrette en haut d'une grande chalemie, flûte traversière, cornet à bouquin. L'Amour s'apprête à décocher une flèche et vise le cœur du jeune musicien. Plus loin, dans une fontaine, un Cupidon chevauche un dauphin. Au fond, à droite, sous un grand arbre, un entretien sentimental; à gauche, un banquet galant en musique et la danse au son d'une contrebasse de viole (2).

(1) Cf. K. Renger: Joos van Winghes «Nachtbancket met een Mascarade». *Jahrbuch der Berliner Museen.* t. XIV, 1972, p. 183.
(2) Crispin de Passe a tiré une seconde estampe en sens contraire, de ce sujet, avec une devise latine différente.

PLANCHE 84. – Vénus et le joueur de flûte à bec (1).

Sir Joshua Reynolds (172?-1792). (localisation inconnue).

Le souvenir des Vénus de Titien a hanté longtemps la mémoire des Maîtres. Il est encore perceptible dans cette œuvre où sir Joshua a su, par une composition habile, renouveler la pose des personnages, ordonnée en raison de la fuite lointaine du paysage. Vénus, les jambes repliées, couronnée de fleurs, regarde et écoute le jeune flûtiste vêtu d'une veste à crevés comme au temps de la Renaissance. Si l'œuvre n'a plus le style souverain du grand Vénitien, elle reste d'un grand charme poétique.

(1) Vente de la collection Cuthbert Quilter, New York, 27 janvier 1913, n° 93.

PLANCHE 85. – Le berger couronné.

       Govaert Flinck (1615-1660), signé, daté: 165 (4 ?).
       Collection particulière (1).

Ce charmant sujet figurait dans l'estampe de Baccio Baldini et, grâce aux bergeries, a connu quelque succès dans les Pays-Bas (2). La bergère, très décolletée, achève la couronne qu'elle va remettre au pâtre qui joue d'une flûte à bec champêtre. Ils échangent des regards significatifs: la scène a pris un caractère nettement galant.

(1) Cf. Moltke: *G. Flinck*, 1965, p. 97, n° 147, pl. 30.
(2) Autres exemples: Carel de Moor: conversation galante dans un parc. Rudolfinium. Prague. Catal. 1889, n° 520 (sous le nom d'Ochtervelt). Schalcken, H. de Groot, catal., t. V, n° 87; A. Boonen, Musée d'Arnhem, catal. 1956, p. 10, Bol, Musée d'Orléans, etc.

PLANCHE 86. – Le concert champêtre.

      Antoine Watteau (1684-1721).
      Musée d'Angers (1).

Sous ce titre traditionnel et vague, c'est en réalité une variante de «l'amante couronnée» qui est représentée. Un joueur de flûte à bec traduit l'harmonie des sentiments qui animent les divers personnages. Une jeune fille vient d'apporter une corbeille de fleurs. Au premier plan, un jeune homme commence à tresser une couronne et sa jolie voisine le regarde avec intérêt. Watteau a traduit avec poésie les prémices de l'amour, ce qui, avec sa technique subtile, lui a permis de peindre le chef-d'œuvre de ce thème.

(1) Cf. Hélène Adhémar: *Watteau, sa vie, son œuvre*, 1950, n° 172, pl. 99. *Revue du Louvre*, 1962, pp. 19 et 20. Boucher, dans ses bergeries a aussi fait allusion à ce thème.

PLANCHE 87. – Vénus et le duo amoureux.

Ecole franco-flamande (fin du XVIᵉ siècle) (1). Localisation actuelle inconnue.

Les concerts galants dérivés des «enfants» de Vénus ne se comptent pas (2), mais il est assez rare que la déesse elle-même vienne les présider comme dans ce tableau. Une statue la représente, tenant une pomme et accompagnée de Cupidon. Une jeune femme déchiffre une chanson et son amoureux l'accompagne sur un luth de forme ronde, encore nettement apparenté à ceux du XVIᵉ siècle. Un autre couple s'approche pour écouter les musiciens.

(1) Dans le commerce à Amsterdam en 1943. Parfois attribué à Louis de Caulery (vers 1575-1621).
(2) Cf. le duo amoureux d'Aldegrever, daté de 1537, presque contemporain de la gravure de H. S. Beham.

PLANCHE 88. – Le repas de l'Enfant prodigue chez les courtisanes.

        Pieter Cornelisz van Rijck, gravé par J. Matham.
        B.N. Cabinet des Estampes.

Les repas galants en musique, soit profanes, soit relatifs à cette parabole, sont nombreux au XVIe siècle (1) et au XVIIe. Ils semblent, en fait, dériver des compositions relatives à la Vénus astrologique. Ici, cette descendance est attestée par la statue de Vénus se pressant les seins, près d'un dauphin, son messager. La gravure se réfère à l'Evangile (Luc, XV, 3). Un joueur de luth ajoute l'action insinuante de la musique à l'ivresse du vin et des sens.

(1) Sur les divers tableaux relatifs à ce sujet au XVIe siècle, cf. Georges Marlier: *Ambrosius Benson*, chap. X: réunions galantes et concerts après les repas, pp. 229 à 241. Cf. aussi II.C. Slim: *The Prodigal Son*, University of California, Irvine, 1976.

PLANCHE 89. – Le bain galant.

Maître du Hausbuch (1ᵉʳ tiers du XVIᵉ siècle).

L'observation narquoise de ce grand artiste s'est aussi portée sur cette scène tirée des gravures astrologiques et relative à la vie de l'époque. Par une baie grande ouverte, on aperçoit, dans une baignoire, deux hommes qui marivaudent avec une femme: une des compagnes de celle-ci s'empresse de pénétrer dans le local pour participer à ces jeux. Assis sur l'entablement de la fenêtre, un luthiste accompagne ces ébats. Sur une murette voisine, un pot d'oeillet précise, comme la musique, le sens grivois de la scène. Au premier plan, la collation est déjà servie et le vin attend dans le rafraîchissoir.

PLANCHE 90. – Le bain et le repas galants en musique (1597).

Hans Bock le vieux (1550-1624).
Musée de Bâle.

Le repas galant en musique pouvait coïncider avec le bain comme l'atteste ce tableau. Plusieurs couples s'amusent et se caressent dans l'eau. Ils appartiennent à une société élégante si l'on se réfère à leurs coiffures et à leurs bijoux qui sont leurs seuls vêtements. Au centre du bassin, une table a été dressée et un luthiste est assis au bord. Plus loin, un autre homme souffle dans une ture-lure, instrument au sens érotique caractérisé. Un troisième baigneur joue de la flûte à bec pendant que sa voisine déchiffre une chanson. Quelques manants, passant sur la route proche, marquent leur intérêt pour ces ébats aquatiques (1).

(1) Cf. aussi une gravure d'Aldegrever; le repas, le bain et la saignée en musique, avec la présence d'un fou, pour signifier que ceux qui participent à cette fête sont insensés.

153

PLANCHE 91. – Le bain de Vénus et de Mars (Palais du Té, Salle de Psyché, Mantoue).

Jules Romain (Giulio Pippi, dit) (1499-1546): gravure de Diane Ghisi.
B.N. Cabinet des Estampes.

Avec Jules Romain (1), le style prévaut sur l'observation réaliste et ironique: le sujet est transposé dans la mythologie. A gauche, des amours s'affairent autour de Mars et de Vénus. Au centre, Mercure surveille les préparatifs de la collation. Dans une tribune, un petit orchestre de plein air se prépare à exécuter la «musique de table»: il est composé d'un tambour sur cadre, de cymbales, d'un tournebout (2) et d'une chalemie de forme rare.

(1) Cf. F. Hartt. *Giulio Romano*. New Haven, Yale University Press, 1958, t. I, p. 129, t. II, fig. 259: seul le bain est représenté, non la collation.
(2) L'instrument a la forme d'un tournebout, mais le musicien le place dans le coin de ses lèvres comme s'il s'agissait d'un cornet.

PLANCHE 92. – Danse antique autour de Vénus.

Maître florentin vers 1460-1470
Musée du Sérail, Istamboul. (d'après la reproduction de Hind. B.N. Cabinet des Estampes).

Gravure curieuse qui ne subsiste qu'en un exemplaire unique, découvert par M.A.M. Hind et publié par lui (1). La subordination de la danse à Vénus est évidente: des hommes nus exécutent une sorte de moresque autour de la déesse, qui marque le rythme. En haut, dans la guirlande, des amours jouent de deux trompettes et d'une sorte de petite chalemie. Ici, le caractère sexuel de la danse est très net.

(1) Cf. *Print Collector's Quaterly*, XX, 1933, p. 284 et K. Renger, *op. cit.* p. 181. Cf. aussi R.L. Macgrath: the Dance as pictorial Metaphore. *Gazette des Beaux-Arts*, 1977, I, p. 81 à 92.

PLANCHE 93. – La danse lascive.

Ecole florentine vers 1465-1480. D'après le livre de Hind.
B.N. Cabinet des Estampes.

Au centre, un couple danse. Sur la bordure six amours jouent d'instruments dionysiaques ou érotiques: trompe, tambourin, cornemuse, tambour de basque, triangle et cymbales. En bas, un dameret aux longs cheveux est étendu contre une femme nue, parée d'un collier de grosses perles. Il lui frôle la joue avec un oeillet, symbole d'amour.

156

PLANCHE **94**. – La danse pour le prix.

Israël van Meckenen (2ᵉ moitié du XVᵉ siècle).
B.N. Cabinet des Estampes.

En vue d'obtenir le prix: une bague tenue par une femme, les prétendants se livrent à des contorsions frénétiques pour exécuter une moresque, danse d'origine orientale. Le rythme en est donné par un tambourin et une flûte à deux doigts. Le fou tire la langue à ces insensés et des curieux sont massés derrière la fenêtre pour assister à ces manifestations de délire amoureux.

HAS DVCVNT CHOREAS, QVI BACCHANALIA VIVVNT.

Un: malade riroit, voiant ces fous danser,
Mais quel Amant si sain ne deuïendroit malade,
Voiant ces te Beauté mignarder son oeillade,
Qui peut en sa peinture vn coeur viuant percer!

Ghŷs bollaert, bouwen blaupype, en mancken claes
Teŷnen stortbier, Roeltken drasfack, en diel fransen
Moenen slodderbroeck, heŷn droochbroot, en buyben maes,
Ick beroep v allen ouer deŷ te dansfen.

PLANCHE 95. – La danse de l'Œuf.

Martin de Vos (1536-1603), gravé par Crispin de Passe.

Dans les anciens Pays-Bas, cette danse populaire présentait un caractère sexuel, surtout quand elle était exécutée au son d'une cornemuse. Deux personnages de carnaval font entendre une musique parodique pour mieux en faire ressortir le caractère déraisonnable. Deux couples, l'un de paysans, l'autre de citadins élégants témoignent de l'attrait amoureux qu'elle suscite. Le commentaire en français et en néerlandais était presque superflu.

PLANCHE 96. – La danse, invention diabolique.

A. Kohl (1624-1656), gravure pour le « *Miroir du bonheur et du malheur* » (1652).
B.N. Cabinet des Estampes.

Au son d'une longue flûte à deux doigts et d'un tambourin, des couples commencent à se trémousser et d'autres s'embrassent. Dans la bordure, des papillons, images des âmes, s'égarent près d'un œillet, symbole d'amour, et de plantes vénéneuses. La légende tire la conclusion: « der Teufel hat den Tantz erdacht ».

159

LES EXTENSIONS DU THÈME
DE LA VENUS ASTROLOGIQUE

L'admirable plastique de Vénus, l'attrait de nombre de sujets relatifs aux «enfants» de sa planète, la place occupée par l'amour dans la vie des hommes et, aussi, à l'opposé, la nécessité, pour une société profondément chrétienne, de réagir contre les excès de l'érotisme, expliquent les diverses extensions de ce thème et leurs significations différentes.

Un premier rattachement était conforme à l'astrologie. Non seulement le signe du Taureau servait de «maison» de jour à Vénus, mais cette déesse en était la divinité tutélaire d'après Manilius (1): par suite, elle dominait avril. Dans les séries des mois, ce fut, pour chaque siècle, l'occasion de réaliser au moins un chef-d'œuvre, en commençant avec éclat, au XVe, par la fresque du Palazzo Schifanoia, ce «Sans-Souci» des princes d'Este (2).

Aphrodite aimait la musique, auxiliaire efficace de son influence: les allégories de la musique et de l'Ouïe se réfèrent à elle dans quelques cas.

Les suites des «Parties du Jour», des «Eléments» et des «Tempéraments» ont joui d'un long succès. Vénus se plaisait aux fêtes vespérales et nocturnes, pouvait être assimilée à la Terre, Mère universelle, et dominait le comportement du sanguin, amoureux et musicien. (3)

Certains de ces sujets ont été à l'origine de nombreuses œuvres. Parfois, il a semblé suffisant de ne citer qu'un exemple significatif pour permettre d'en présenter plusieurs dans d'autres cas, en raison de leur qualité esthétique, à cause de leur intérêt musical ou encore pour jalonner une évolution iconographique.

(1) Cf. Manilius: *Astronomica*, II, 439 et suiv. Bon résumé de la question des divinités protectrices des signes zodiacaux dans l'article de M. Frans Cumont: *Zodiacus* (pp. 1055 et 1056), *Dictionnaire des Antiquités grecques et romaines* de Daremberg et Saglio.
(2) Schifanoia: de «Schifare», éviter, fuir, et de Noia: ennui – littéralement «palais de trompe-l'ennui».
(3) En plus des illustrations figurant ci-dessous, cf. A.P. de Mirimonde: *l'Iconographie musicale sous les Rois Bourbons, I*, pl. 29 à 35.

PLANCHE 97. – Avril ou le triomphe de Vénus.

> Cosimo Tura (1432-1495) et Francesco Cossa (1438-1480).
> Palazzo Schifanoia, Ferrare.

Fresque célèbre, où la part de Cossa est importante. Document iconographique du plus grand intérêt. En raison du programme complexe (1) élaboré à l'occasion de cette décoration, pour chacun des 12 mois, les peintres ont représenté le triomphe de la divinité protectrice du signe zodiacal correspondant: pour le Taureau c'est Vénus. Au centre, sur un bateau tiré par deux cygnes qui chantent, symboles de la musique, la déesse, couronnée de roses, est assise sur un siège placé dans une coquille. Elle montre un coing (2), fruit qui lui est consacré et vaut promesse de mariage, à un chevalier enchaîné et agenouillé devant elle. A gauche, les enfants de Vénus s'entretiennent et se caressent. Au bord, une femme tient un instrument, en partie détérioré, peut-être un rebec. A droite, sur un socle rocheux, les trois Grâces. Au premier plan, un couple d'amoureux est entouré de musiciennes: deux tiennent chacune un luth et une troisième, deux flûtes à bec (3). Près de la première luthiste, un jeune homme regarde l'œillet, gage de ses fiançailles (4). Sur le sol, de nombreux lapins, attributs de la déesse.

(1) Cf. Eberhard Ruhmer: *Tura, Paintings and Drawings*. Londres, 1958, pp. 27 à 34.
(2) Cf. C. Ripa. *Iconologia*: Matrimonio. A. Forti: *Studio su la flora della pittura classica Veronese*, pp. 170-171.
(3) D'après M. Winternitz, *op. cit.*, pp. 49 et 50, ce serait une allusion à l'aulos antique.
(4) Cf. K. Rausch: *die burgondische Heirat Maximilians*, I, pp. 177-178.

PLANCHE 98. – Le mois d'Avril.

Ecole flamande-portugaise du XVIᵉ siècle. Illustration pour le livre d'heures de don Manuel. Museu Nacional de Arte antiga, Lisbonne.

La bordure représente un charmant paysage, inspiré de ceux des Pays-Bas. Au centre, en hommage à Vénus, près de la fontaine d'amour, un jeune homme, assis contre celle qu'il aime, chante pour la charmer: il s'accompagne sur un luth dont la caisse commence à s'allonger et dont la table est percée d'une rose unique, placée assez haut.

PLANCHE **99**. – Le mois d'avril ou le Château de Versailles.

> (Tenture des Maisons royales). Carton (1) de Charles Le Brun (1619-1690). Tapisserie des Gobelins.
> Mobilier National.

Le Brun savait que le signe du Taureau était «protégé» par Vénus et lui servait de «maison» de jour. En raison du goût de la déesse pour la musique, il a placé au premier plan, entre deux colonnes, un luthiste sentimental. Plus loin, sur la balustrade, un beau luth est posé sur sa face. A côté, une grande chalemie. Sur le sol, une flûte à bec, dont l'aspect étrange résulte de ce qui était alors une faute de perspective et apparaîtrait de nos jours comme une innovation géniale.

(1) Conservé au Musée des Arts Décoratifs (Paris).

165

PLANCHE 100. – Avril ou le Concert (1733).

Tapisserie des Gobelins aux armes de Stanislas Leczinski.
Mobilier National – Paris.

La suite des mois «Lucas» (1) a connu un vif succès en France à la fin du XVIIe siècle et au XVIIIe. Pour célébrer avril, les «enfants» de Vénus se livrent à leurs plaisirs favoris. Au premier plan, une femme tient déjà une couronne de fleurs. Une autre cueille des narcisses blancs ou «narcisses des poètes». Un peu en arrière, une musicienne joue du tympanon (3) à l'aide de deux baguettes recourbées, terminées en spatules. Une autre pince les cordes d'un luth à coque très arrondie dont la table est percée d'ouïes latérales et d'une rose centrale en partie cachée par la main. Un jeune homme bat la mesure. Sur l'étang, une barque promène deux amoureux pendant qu'un homme souffle dans une chalemie qui n'est pas encore un hautbois. Interprétation séduisante d'un sujet ancien par un siècle nouveau.

(1) Cette dénomination provient d'une ancienne tenture de la couronne, attribuée à Lucas de Leyde. Au XVIIe siècle, des suites consacrées à ces «mois» ont été tissées à Bruxelles d'après des cartons de van Orley.
(2) Pour une étude détaillée, cf. M. Fenaille: *Etat général des Tapisseries des Gobelins*, II, pp. 336 à 370, avec mention des artistes qui ont adapté les cartons de van Orley.
(3) Instrument redevenu à la mode au XVIIIe siècle grâce à celui qui avait été présenté par Pantaléon Hebenstreit à Louis XIV en 1705.

167

PLANCHE 101. – Allégorie de la Musique.

      Hans Baldung, dit Grien (1480-1545).
      Pinacothèque de Munich.

La Musique, représentée nue, évoque Vénus. Elle appuie la main droite sur une jolie viole, véritable modèle du genre pour la première moitié du XVIᵉ siècle: chevillier en crosse, frettes sur le manche, six cordes, coins droits, ouïes placées sous les C, cordier court, fixé sous la caisse par une traverse. De la main gauche, la musicienne tient un livre de musique. Près d'elle, pour rendre plus explicite l'analogie avec Vénus, un gros chat, symbole de luxure (1).

(1) George Ferguson: *Signs and Symbols in Christian Art,* p. 14.

PLANCHE 102. – Allégorie de l'Ouïe.

        Jan Brueghel le vieux, dit de Velours (1568-1625).
        Ancienne collection Stuijck (Anvers). (Vente, Palais des Beaux-Arts. Bruxelles, 7 déc. 1960).

Cette peinture présente une sorte d'encyclopédie organologique réunissant presque tous les instruments sonores de l'époque (1). Au centre, près d'un cerf, symbole de l'ouïe et de l'ardeur sexuelle, Vénus assise joue du luth pour accompagner l'Amour qui chante. Sous le siège de la déesse apparaît à nouveau un chat et près d'elle sont posés un fusil et un pistolet, allusion à Mars. Ce tableau est une réplique fidèle de celui qui est exposé au Prado avec une seule variante notable: le cahier de musique posé sur le guéridon ne porte plus les armoiries des archiducs Albert et Isabelle, ni l'inscription relative à Pietro Inglese: il s'agissait donc, dès l'origine, d'un exemplaire destiné à un amateur privé.

(1) Cf. pour une étude détaillée: *Jaarboek 1966, Koninklijk Museum voor Schone Kunsten, Antwerpen*, pp. 149 à 159.

Candida dum solitum percurrit Cynthia callem,
Et niues Frenans ceruos per inania fertur,

VESPER

Nuncius interea noctis micat Hesperus, atque
Diua VENVS gaudet thalamis, et suadet amores.

PLANCHE 103. – Vesper (le Soir).

> Karel van Mander (1548-1606), gravé par Jacob Matham.
> B.N. Cabinet des Estampes.

Cette composition illustre l'annexion du thème du soir par celui de Vénus (1). Assise sur un nuage, la déesse désigne à Cupidon Diane qui va parcourir le ciel dans son char tiré par deux cerfs. Sur terre, des convives festoient, des barbons font des avances à des beautés peu farouches. Dans une tribune, des musiciens (chalemies et basse de viole) animent la réunion. Un cavalier semble inviter une femme à danser.

(1) La combinaison de ces deux sujets est conforme à une observation astronomique, puisque la planète Vénus se lève dès que le soleil se couche.

Trifticiam, et luctus abigit præsul Hesperus omnes,
Exhilaratiq; hominum mentes, curasq; repellit.

PLANCHE 104. – Le Soir.

Hendrick Goltzius (1558-1616), gravé par J. Sanredam.
B.N. Cabinet des Estampes.

Goltzius, ami de Karel van Mander, représente à son tour une fête vespérale. La bonne chair, le vin et la musique conjuguent leurs effets aphrodisiaques: le jeune luthiste observe les convives avec un regard en coin. Par la fenêtre ouverte apparaît un cortège de noctambules et, dans le ciel étoilé, la déesse, coiffée d'un croissant, est couchée sur un nuage: peut-être est-ce une allusion à la Vénus lunaire de l'Antiquité (1).

(1) Crispin de Passe a transposé cette scène dans une composition en largeur. Il a supprimé la déesse dans le ciel et le croissant brille seul au milieu des étoiles.

171

PLANCHE 105. – L'amour nocturne.

Hendrick Goltzius (1558-1616), gravé par J. Matham. Signé et daté: 1615.

Extension du thème du Soir à celui de la Nuit. La chaste Diane, elle-même, tenant son arc, auréolée par l'éclat du croissant, se promène amoureusement avec un jeune luthiste pendant que ses deux chiens boivent à la fontaine d'amour. Au fond, un couple part pour une promenade sentimentale.

172

PLANCHE 106. – La fête nocturne.

        Josse/van Winghe (1544-1603).
        Musée Royal des Beaux-Arts – Bruxelles.

Œuvre capitale pour l'iconographie. La fête est présidée par la statue de la *Vénus lactans,* placée, au fond, dans une niche fortement éclairée. De chaque côté, en haut, deux préceptes de la *Sagesse de Salomon,* cités pour justifier la débauche (1). Dans la salle, les «enfants» de la planète s'abandonnent à leurs penchants (2): musique (chant, luth, orgue), danse, jeu, repas galant largement arrosé de vin, amour (3). A gauche, une troupe de masques fait une entrée parodique. A droite, au-dessus de la porte, une chouette, symbole de mort, guette l'assistance: l'intention moralisatrice n'est pas douteuse.

(1) Cf. II, 6. «Venez et jouissons des biens présents, usons avec ardeur des créatures tant que nous sommes jeunes» – II, 9: «que nul d'entre nous ne reste sans prendre part à nos débauches: laissons partout des signes de notre joie»: mais les «enfants» de Vénus n'ont pas transcrit le 1er verset: «Ils se sont dit en eux-mêmes, raisonnant de travers...», ce qui inverse la signification des textes.
(2) Cf. l'étude remarquable de M. Konrad Renger: «Joos van Winghes» «Nachtbancket met een Mascarade» und verwandte Darstellungen». *Jahrbuch der Berliner Museen,* t XIV, 1972, pp. 161 à 193.
(3) Pour comparasion, sans statue de Vénus, voir la *Fête nocturne chez la bru de Tarquin le Superbe,* par H. Goltzius. (Herzog Anton – Ulrich Museum, Brunswick); gravée par Galle. Cf. E.K.J. Reznicek: *Hendrick Goltzius Zeichnungen,* t. I, n° 140, pp. 292-293.

PLANCHE 107. – Allégorie de la Terre.

       Martin de Vos (1536 – 1603), gravé par Crispin de Passe.
       B.N. Cabinet des Estampes.

Mère universelle, la Terre peut être assimilée à Vénus, mais ici, comme dans la *Fête Nocturne*, cette déesse inspire la luxure et incite à l'abus des dons de la Nature et de Dieu (1). La femme, personnifiant la Terre, tient un cahier de chansons et s'apprête à battre la mesure. Elle regarde tendrement le luthiste. Sur son genou droit, un violon, à ouïes sous les «C» et à touche courte, à l'usage des ménétriers. Sur la table: une flûte à bec, une flûte traversière, un cornet à bouquin, un cistre: instruments de mauvaise réputation. A droite, près de beaux fruits, le lézard, venu de la terre et symbole de mort. Au fond, à gauche, des paysans font la cueillette. A droite, deux amoureux, des danseurs et, au fond, un pavillon avec, aux fenêtres, un couple et deux femmes guettant des «clients» éventuels.

(1) Cf. K. Renger, *op. cit.*, pp. 178 et 179.

174

PLANCHE 108. – Les «enfants» de Vénus. et le Sanguin.

   Martin van Heemskerk (1498-1574).
   B.N. Cabinet des Estampes.

Document iconographique préfigurant l'union des deux thèmes. Dans le ciel, Vénus apparaît en face de Jupiter, son ami. Le signe de la Balance concerne Vénus, celui des Gémeaux symbolise l'amour, celui du Verseau fait allusion à Satürne, dont la conjonction avec Vénus incite à la sensualité. Au centre, l'inscription: *Sanguini*. Sur terre les «enfants» de Vénus s'adonnent à leurs divertissements favoris: danse au son du violon, échange de baisers, chant choral, repas galant, promenade suivie par un joueur de flûte à deux doigts et de tambourin, enfin, bain en commun.

175

SANGVINEVS

Sanguinei frontis dicuntur imagine læti,
Unde volunt hilares sæpe videre jocos:

Vena tumet, rubent, rident, lasciuiaque ipsis
Et placet ebrietas, et male sanus amor.

Martin de Vos inuentor   *Peter de Jode sculptor in Venetia*   *Crispian de Passe divulgator*

PLANCHE 109. – Le Sanguin.

      Martin de Vos (1536-1603), gravé par Peter de Jode à Venise.
      B.N. Cabinet des Estampes.

Un couple élégant s'apprête à chanter un duo comme le prouvent les deux livres de chansons. L'homme en habit à crevés va préluder sur le luth et sa compagne s'appuie tendrement sur lui tout en jetant un regard sur le texte. Devant eux, un compotier, mais aussi un bouquet avec des fleurs déjà tombées, allusion au verset du livre de Job (XIV, 2): «comme une fleur, l'homme germe et se fane: il s'efface comme une ombre». Au fond, les «enfants» de Vénus se promènent, dansent et tirent à l'arc sans souci du temps qui passe.

176

SANGUINE ITALLION
Cantica cū Cithara (Citharistria vel) mihi cord:
Musick, Loue are this merry Signores foode
But somwhat else, as Drinke, to coole his bloode.
Sould by Tho: Boothe at the gloue by the exchange in Cornehi

PLANCHE 110 a. – Le Sanguin.

Joos van Winghe (1544-1603), incisé par un graveur anglais, chez Boothe.

Ce Sanguin déchiffre un livre de chansons et s'accompagne à l'aide d'une guitare, instrument amoureux. Le texte fait allusion au début de *la Nuit des Rois* de Shakespeare, mais la suite est moins édifiante:

Musik, Love are this merry signores foode
But somwhat else, as Drinke, to coole his bloode.

177

Planche 110 b. – Le Sanguin.

Gravure de Jacob II de Gheyn le Jeune (1565-1629).

Ce second musicien est d'un caractère assez différent: il pense à toutes les voluptés en jouant d'un luth simplifié. Sur le sol, une flûte traversière et, à droite, un violon et un étui de flûtes.

LE SANGUIN

PLANCHE 111. – Le Sanguin.

Hubert-François Gravelot (1699-1773), gravé par Choffard en 1771.
B.N. Cabinet des Estampes.

Dans leur *Iconologie* (1), Gravelot et Cochin constatent que les allégories des quatre tempéraments sont périmées: ils les maintiennent pourtant dans leur ouvrage en raison de leur emploi par divers artistes anciens. D'après la notice, le Sanguin (2) est un jeune homme au visage riant et au teint vermeil. Il aime les amusements, en particulier la musique (luth du XVIIIe siècle monté en guitare, violon, partition), apprécie les dons de Bacchus (corbeille de raisin, pichet de vin) et se livre à l'amour (colombes de Vénus). La vignette est charmante: une jolie fin pour ce thème.

(1) *Iconologie par figures ou traité complet des allégories, emblèmes, etc.*, en 4 volumes. Réimpr. Minkoff Reprint, 1972.
(2) Tome IV, pl. 10.

PLANCHE 112. – Calendrier allégorique. avec le char du Temps, les signes du zodiaque, les Saisons et les Tempéraments.

Edité par Jean Lenfant (vers 1615-1674).
B.N. Cabinet des Estampes.

Au printemps, saison de Vénus, correspond le Sanguin (1) sous les traits d'un élégant luthiste. Un autre luthiste sert à illustrer le mois de «May», placé sous le signe des Gémeaux.

(1) Le colérique est représenté en face de l'été, le mélancolique: de l'automne et le flegmatique: de l'hiver.

LES MALÉFICES
DE LA PLANÈTE VÉNUS

Le cycle iconographique de Mercure marquait un progrès continu vers un idéal intellectuel. Au contraire, lorsque Vénus cesse d'inspirer les affections saines et durables, nécessaires à la survie du monde, elle conduit l'homme, par degrés successifs, à l'avilissement. La volupté, recherche du plaisir sensuel pour lui-même, marque le commencement d'un entraînement qui, peu à peu, par un processus presque fatal, aboutira à la luxure, péché mortel. D'après l'astrologie, lorsque la planète entre dans sa phase décroissante et conjugue ses effets à ceux de Saturne, elle suscite des perversités et des vices qui corrompent profondément la personnalité: elle conduit à la ruine matérielle, à la dégradation sociale et à la diffusion de maladies redoutables. La déchéance du corps et de l'âme sera le résultat inéluctable de ces excès. Les peintres ont décrit ces plaisirs dangereux et composé des vanités pour prouver leur inanité – en attendant, comme l'a montré Jérôme Bosch, que les instruments de musique, auxiliaires des débauches, se transforment en instruments de torture dans l'enfer des luxurieux (1).

Ces œuvres avaient pour objet de mettre les pécheurs en garde et même de les effrayer: elles traduisaient une réaction vigoureuse de l'Eglise, puis de la Réforme contre la propagation de l'érotisme.

(1) Cf. *Gazette des Beaux-Arts,* 1971, I, pp. 43 à 46.

PLANCHE 113 – Le choix d'une vie: Le jeune homme entre l'étude et le plaisir.

Adriaen van Gaesbeck (1621-1650).
Rijksmuseum, Amsterdam.

Dans une bibliothèque, un jouvenceau s'apprête à délaisser un in-folio fastidieux, posé sur la coque d'un luth en guise de pupitre et au-dessus d'une flûte à bec – deux instruments chers à la déessee de Cythère. Il craint le sort d'une Niobide, dont le buste, posé sur le sol, fléchit sous le poids d'un ouvrage prolixe. Il va céder à l'influence d'une statuette de Vénus, placée près d'une fenêtre ouverte. Il a pris son chapeau, joue avec son gant et n'attendra pas que la femme qui descend l'escalier lui remette un nouveau livre à étudier.

PLANCHE 114 – Le choix d'une vie: Trois folies des hommes.

     Johann – Georg Platzer (1702-1760).
     Musée National de Varsovie.

Près d'une statue de Vénus se pressant les seins, quelques jeunes gens s'adonnent à l'amour ou à la danse au son d'un violon, d'un hautbois, et d'un tambour de basque. D'autres s'apprêtent à partir pour la guerre. A gauche, un vieillard morose, entouré de grimoires et d'alambics, repousse une femme aguichante qui trouble ses méditations: il a consacré sa vie à l'alchimie, ce qui n'est pas moins vain que de dissiper sa jeunesse en succombant aux tentations de Vénus ou en répondant à l'appel de Mars.

PLANCHE 115 – Voluptas.

    Ecole suisse (fin du XVᵉ siècle). Illustration (1) pour *Stultifera Navis* de Seb. Brandt, Bâle, Joh. Bergmann de Olpe, 1497.
    Bibl. de Colmar, S. 4586 (Inc.).

La Volupté nue, suivie d'un joueur de harpe (2), s'avance vers un jeune et élégant luthiste: elle lui tend un oeillet, fleur des fiançailles. Derrière elle, la fontaine d'amour sert de rafraîchissoir pour une amphore. Un peu plus loin, une table, avec les éléments d'une collation galante: un pichet de vin, un seul verre, un demi-pain et deux cerises couplées, symbole d'amour souvent utilisé au temps de la Renaissance (3).

(1) Cette gravure a disparu dans de nombreux exemplaires.
(2) La console ne porte plus les deux pointes caractéristiques de cet instrument au Moyen Age: elle est proche du modèle du XVIᵉ siècle.
(3) L'édition de 1498 donne une version simplifiée et réduite en largeur de cette illustration. La fontaine d'amour est remplacée par un rafraîchissoir. La collation est limitée à deux pains (Bibl. de Colmar, XI, 9820, Inc.).

PLANCHE 116 – Le Concert champêtre.

Giorgione (1477 ou 1478-1510) et Titien (1489-1576). Musée du Louvre.

Ce tableau énigmatique a suggéré des interprétations peu vraisembables. Or, il réunit divers attributs de la volupté et semble être simplement une allégorie de ce penchant (1). Deux jeunes hommes se consultent sur le morceau que l'un va chanter et l'autre accompagner sur le luth. En face d'eux, une femme nue, assise, tient une petite flûte à bec, instrument érotique, comme, plus tard, la Vénus au luthiste de New-York. L'autre femme debout, verse de l'eau, reproduisant le geste du Verseau, «maison» de Saturne, dont les «aspects» avec Vénus sont redoutables. Elle évoque ainsi le vieux Kronos: tout passe sans espoir de retour. Les jouissances de l'amour charnel sont brèves. Le crépuscule tombe. Au loin, un berger rassemble son troupeau. Quand le soleil aura disparu, la planète Vénus, l'étoile du berger, brillera. Cette œuvre apparaît ainsi comme une élégie sensuelle, lyrique et teintée d'une certaine mélancolie.

(1) Cf. *Gazette des Beaux-Arts*, nov. 1966, pp. 277 à 279.

PLANCHE 117 – Le Concert champêtre.

Allégorie de la Volupté. Frans Wouters (1614-1659).
Musée de Dijon.

Œuvre où le souvenir de Giorgione et le pressentiment de Watteau se combinent (1). La femme, dévêtue, tient une flûte à bec. Un élégant cavalier, assis près d'elle, l'accompagnera sur un beau luth théorbé dont les deux chevilliers sont bien visibles. Non loin, un bouc, symbole de force virile (2), expliciterait le sens de la composition, s'il en était besoin. Des brebis ajoutent à la scène un caractère pastoral (3).

(1) Cf. Jeanne Magnin: *la peinture au Musée de Dijon*, 1929, pp. 257 et 258.
(2) Cf. *Gazette des Beaux-Arts*, 1966, II, p. 289, note 34.
(3) Autre peinture de Wouters, sur le même sujet, au Musée de Dole. Cf. Jeanne Magnin: *la peinture au Musée de Dole*, 1920, pp. 83 et 84.

Delicijs comitata vagis, cui ne Appia strata
Sunt augusta satis, furor hoc Lasciua passu
Luxuriosa mihi comes it Iactantia, at illa
Nunc inflata tumet, nunc excreat imperiosa,

Milleque confingit suaui mendacia palpo,
Sola sibi miranda placens; sed fumida qualis
Tæda, vel herba virens mane discrimine paruo
Interit, haud aliter pompa hæc intercidit omnis.

PLANCHE 118 – Lascivia.

       Martin de Vos (1536-1603), gravé par Raphaël Sadeler en 1592.
       B.N. Cabinet des Estampes.

Gravure intéressante par sa symbolique. La lasciveté, incitation à la luxure, richement vêtue et parée, fait un geste d'appel. Près d'elle, un singe, attribut de la Vénus astrologique et de la luxure, joue d'un ténor de violon dont le chevalet est placé très bas. Sur une branche morte, image du péché, est perché un perroquet, allusion à la virilité (1). Au second plan, à gauche, une courtisane orgueilleuse, coiffée de plumes de paon, se regarde dans un miroir à la manière de Vénus. A droite, une femme à double visage, personnification du mensonge (2), guide la luxure qui répand l'argent d'une bourse (3). Au fond, d'autres spectacles peu édifiants: des danseurs et des comédiens ambulants.

(1) Cf. H. Poulaille: *la Fleur des chansons d'amour du XVe siècle*, pp. 269, 280 et 281. *Chansons de Gaultier-Garguille*, introduction d'E. Magne, p. 157 (références aimablement communiquées par M. Trinquet). Cf. Jan Massys: *le vieillard et la jeune courtisane*, Musée de Stockholm, Miguel March: *allégorie de l'amour charnel*, Musée de Valence (Espagne), etc.
(2) Cf. gravure d'Eneas Vico: *Mendacium.*
(3) Cf. Tervarent, *op. cit.*, col. 105 (colombe III).

PLANCHE 119. – Crapula et Lascivia.

> Martin de Vos (1536-1603), gravé par Johannes Sadeler.
> B.N. Cabinet des Estampes.

Repas des plus galants où les convives sont ivres de vin et de concupiscence: les diverses scènes se passent de commentaires (1). A droite, un jeune homme caresse une luthiste (2) à demi étendue sur le sol. A gauche, entrée de masques; l'un d'eux joue de la guitare.

(1) Estampe à rapprocher d'un emblème plus tardif d'Otto van Venne, tiré des *Horatii Flacci Emblemata* (1612), où figure le commentaire suivant:

> «*Qui s'abandonne à tout plaisir,*
> *En fin sa vie despensiere*
> *Le fera maladif gesir*
> *Ou finir ses jours à l'hospice*».

(2) Le luth porte 11 chevilles, mais n'est tendu que de 9 cordes (trois doubles et trois simples): peut-être un instrument simplifié pour faciliter le jeu d'une musicienne au talent modeste.

PLANCHE 120. – Allégorie de la Luxure.

        Jérôme Bosch (1450 ou 1460-1516).
        Musée du Prado – Madrid.

Œuvre capitale pour ce sujet. Sous une tente, un homme caresse une femme. En avant, un couple s'apprête à vider la coupe des plaisirs. Sur une table, la collation galante est préparée, avec en avant, une pomme, fruit caractéristique du péché, et, au centre, un plat contenant des cerises dont certaines sont couplées en signe d'amour. Le pichet de vin facilitera les entraînements sensuels. A droite, le fou, qui a laissé glisser ses chausses, va recevoir une correction. Au premier plan, une harpe, dont la console présente encore les deux pointes du Moyen Age, une flûte à bec, insigne sexuel, et un tambourin. Bosch insiste ainsi sur le concours que la musique apporte à la luxure.

PLANCHE 121. – Allégorie de la Luxure (datée: 1523).

        Urs Graf (1485-1527 ou 1528)
        Cabinet des dessins du Musée de Darmstadt.

Le sujet de ce dessin a fait l'objet d'interprétations diverses, mais peu convaincantes (1). La réunion de trois éléments allégoriques semble correspondre à la luxure: femme nue musicienne, bouffon marquant la folie humaine, arbre mort symbole de l'âme tuée par le péché. L'instrument de musique est une viole, à six cordes, anormale, peut-être démoniaque: manche très incurvé, table percée de quatre petites ouïes et de deux grandes en forme de C. Les cordes ne passent pas sur un chevalet, c'est le cordier qui sert à les soulever comme dans quelques exemplaires archaïques. De plus, il n'y a pas de chevilles pour tendre les cordes.

(1) Cf. Catalogue de l'Exposition des Dessins du Musée de Darmstadt, 1971, (Cabinet des Dessins du Louvre) n° 31, p. 30.

Planche 122 a. – Allégorie de la Luxure.

Tapisserie de Bruxelles, début du XVIᵉ siècle (tenture des Vertus et des Vices).
Cathédrale de Palencia.

Composition complexe et compacte. Les scènes sont réparties un peu comme dans un triptyque. A gauche, autour de la fontaine d'amour, deux couples échangent des promesses. Une femme s'apprête à couronner un amant et une autre apporte la coupe des plaisirs. Au-dessous, des personnages choisissent les fleurs de la vie pendant que des musiciens se font, une fois de plus, les complices de Vénus.

Au centre, des chanteurs et chanteuses déchiffrent une chanson à cinq voix. Au-dessous, scène de danse, avec un barbon qui passe à genoux sous les bras nus de deux femmes.

A droite, les vices et l'enfer font leur entrée. Un démon à tête léonine est accompagné par un mauvais prêtre. Une femme introduit un dogue infernal. La lasciveté est montée sur un chameau (1). Une femme porte un singe sur son épaule, une autre conduit un âne, une troisième se regarde dans un miroir, comme la Vénus astrologique, et chevauche un porc: trois animaux symboles de la luxure (2).

(1) Cf. une gravure d'Aldegrever (Bartsch, VIII, nº 127, p. 401).
(2) Cf. l'estampe de Davent représentant les animaux symboliques entourant le char de la Luxure, suivie par la Mort.

PLANCHE 122 b. – Allégorie de la Luxure.

Détail: le groupe des musiciens.
Saragosse: El Pilar.

Une femme chante et tient un feuillet de musique, une seconde bat la mesure et la troisième improvise,
l'accompagnement sur un luth rond dont la table est percée de 4 ouïes et d'une rose centrale. Trois hommes
soufflent dans un trio de flûtes à bec, sans doute de longueur (donc de sonorité) différente. La «fenêtre» de
chaque instrument est bien indiquée. Les pertuis sont percés très bas.

Planche 123. – Allégorie de la Luxure.

Lukas Kilian (1579-1637).
B.N. Cabinet des Estampes.

Au son d'une harpe et d'un luth, un homme s'abandonne à la folie des sens avec une femme. Trois servantes nues les suivent d'un pas triomphal, portant les mets d'un festin. Mais nul ne prend garde à un gamin loqueteux qui se joint au cortège. Il a accroché à sa ceinture un vase dont émane une fumée: symbole de la vanité des choses terrestres et il souffle des bulles de savon, allusion au proverbe latin «*est homo bulla*», cité par Varron et Erasme, souvent utilisé par les artistes pour rappeler à l'homme la fragilité et la fugacité de sa vie.

Huc ades optatis mecūque amplexibus artus
Illiga; abeſt dū vir, dū metus ōnis abeſt.
proner. vii.

Ne te ſeducat meretricis ſemita; ſolus
De proprio pura at fonte fluēta bibe.
proner. v.

Ardēs in Venerē facit hoc, quod quē ſitis urget
Inuentis primo proluere ora, vadis.
Eccl. xxvi.

PLANCHE 124. – Les maladies vénériennes.

        Christoph Schwartz (1550-1592), gravé par J. Sadeler.
        B.N. Cabinet des Estampes.

Thalès professait que l'eau est le principe de toute chose. Ici, il désigne du geste la fontaine où Vénus, accompagnée de Cupidon, se presse les seins. En avant, une luthiste est assise au-dessus du cours d'eau et porte une de ces coiffures à cornes, dénoncées par les prédicateurs du temps comme sataniques (1). Un chien irrévérencieux lève la patte. Malgré le geste de dénégation d'un soldat, un imprudent boit cette eau doublement polluée. C'était l'époque où une maladie vénérienne alors nouvelle ravageait l'Europe (2).

(1) Cf. F. Boucher. *Histoire du costume*, p. 200.
(2) Le tableau de Schwartz se trouvait dans le commerce à Anvers en 1933, une copie du XVIIe siècle avec une variante dans la coiffure de la femme, est passée en vente en 1941, sous une fausse attribution à Sustris (cf. *Gazette des Beaux-Arts*, nov. 1966 fig. 20 et 21, p. 277). Commentaire détaillé d'Erwin Panofsky dans son «Hommage to Frascatoro». *Nederlansche Kunsthistorisch Jaarboek*, XII, 1961, p. 17.

PLANCHE 125. – Vanité avec Vénus et l'Amour.

Hieronymus Lang (1541-1582). Vitrail héraldique du comte von Sulz (1555).
Musée historique de Bâle.

Allégorie à caractère de vanité. En haut, Cupidon va décocher une flèche. En bas, deux amours jouent l'un de la viole, l'autre du luth. Au centre, une Vénus nue, coiffée à la manière des femmes peintes par Cranach, se tient debout sur un crâne. De son index droit elle désigne un cadran solaire posé sur une pomme: les jouissances de la volupté, nées du péché, sont éphémères et s'évanouissent comme une ombre.

198

PLANCHE 126. – Vanité avec «la Vénus au luthiste».

Pieter-Franz Isaaksz (1569-1625). Musée de Bâle.

Œuvre curieuse d'un prérembranesque. Un amour vient de tirer le rideau du baldaquin. Vénus nue apparaît allongée sur le lit comme dans les tableaux du Titien. Pendant qu'une servante la coiffe, elle tient un éventail de plumes de paon, symbole d'orgueil. Un luthiste lui donne une sérénade et se retourne pour la contempler comme dans la peinture de New-York. Au fond, un nombreux public se presse pour assister à une représentation théâtrale – plaisir fait d'illusion comme les jouissances de la volupté. A droite, trois *putti* tirent la conclusion de ce sujet en soufflant des bulles de savon (1).

(1) Parmi les précédents, une gravure de J. Wierix, d'après W.W. van Haecht, publiée en 1578 sous le titre «*Impudicita*». Cf. *Gazette des Beaux-Arts*, 1966, II, pp. 283 et 284, fig. 41.

Est data Mens homini tantum; discernere namque
Cum ratione aliquid non didicére feræ.
AFFECTVM quæris rectum cognoscere; spectes
Grata Deo quæ sint, proximo et vtilia. Crispian d. Passe
inventor excudit

PLANCHE 127. – Danger d'une union avec Vénus.

Emblème de Crispin de Passe (1589 ou 1593-1667).
B.N. Cabinet des Estampes.

Un homme s'avance vers une statue de Vénus et lui tend l'anneau nuptial. Sur le sol, autour de lui, tout ce qui plaît à Vénus: fleurs, fruits, jeux, attributs des arts, en particulier de la musique, pique guerrière, mais aussi le masque, image du vice. Sur un socle, le pichet de vin et la coupe des plaisirs. Au premier plan, le globe zodiacal, allusion à l'astrologie. Toutefois, l'imprudent ne prend pas garde au serpent enroulé à son bras droit (1): symbole des forces du mal.

Une inscription latine conclut: «L'intelligence appartient en propre à l'homme, car les bêtes sauvages ne savent pas raisonner. Tu cherches à savoir ce qui est le sentiment du bien: attache-toi à ce qui plaît à Dieu tout proche et à le servir».

(1) La gravure a inversé le personnage: la bague doit être présentée de la main droite et le serpent enroulé autour du bras gauche.

LES DIEUX MUSICIENS
PROTECTEURS DES GÉMEAUX

La vocation musicale des Gémeaux résulte de l'influence exercée sur leur comportement par les quatre divinités qui avaient avec eux des affinités astrologiques et appréciaient hautement l'art sonore.

Mercure avait sa «maison» de jour dans ce signe zodiacal: son rôle a été longuement étudié et il suffit d'y faire référence. A l'origine, le couple des deux frères avait été assimilé à Hercule et Apollon, tous deux amis des Muses (1). Hercule savait jouer de la lyre et Apollon en était le virtuose le plus réputé. Le Soleil, planète astrologique, se plaisait à entendre des concerts ou à en faire exécuter par ses «enfants». Enfin, Vénus, suivant une tradition particulière (2), était la divinité tutélaire des Gémeaux. Son goût pour la musique galante a été précédemment illustré par de nombreux exemples. En tant que déesse du renouveau, elle régnait sur tout le printemps et réservait ses faveurs les plus douces au mois de mai. C'est dire que son action était nettement prépondérante.

(1) Cf., par exemple, la gravure d'Altdorfer représentant Hercule près d'une Muse portant une lyre surmontée d'une couronne (B.N. Cabinet des Estampes, Ec. 29, rés.).
(2) Selon les théories astrologiques les plus répandues, Apollon était le dieu protecteur des Gémeaux.

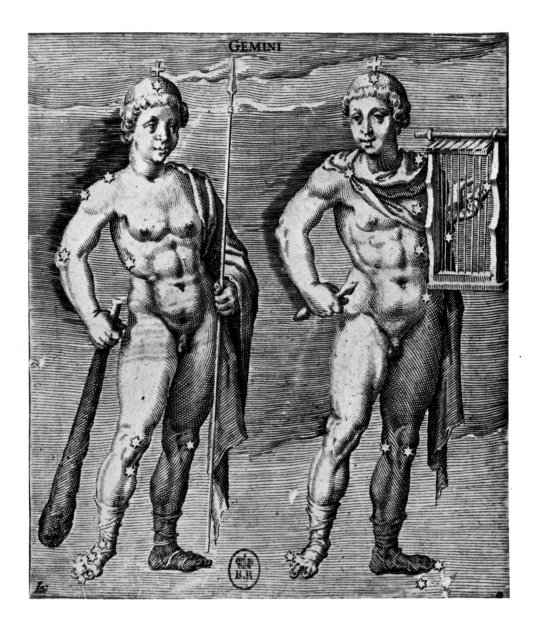

PLANCHE 128. – Gemini.

      Jacques II de Gheyn (1565-1629), d'après un manuscrit astrologique arabe de la Bibliothèque de Leyde.
      B.N. Cabinet des Estampes.

Hercule, armé de sa massue et d'une longue pique, Apollon tenant une lyre et un plectre, représentent le couple astral. L'instrument de forme rectangulaire, tendu de huit cordes est symbolique et injouable. Le héros et le dieu portent chacun une étoile sur leur bonnet pour rappeler l'aigrette lumineuse que, pendant les orages, les marins voyaient parfois briller à la flèche de chaque mât et qui était considérée comme l'indice de la protection accordée aux navigateurs par les deux frères (1).

(1) Au temps du christianisme, ce phénomène électrique prit le nom de «feux saint Elme et saint Nicolas».

PLANCHE 129. – Hercule apprenant à jouer de la lyre.

       Nicolas Poussin (1594-1665).
       Cabinet des Dessins du Louvre.

Hercule jeune, déjà très vigoureux, prend une leçon devant une stèle surmontée d'une tête de Mercure, inventeur de la lyre. L'instrument de l'élève a une caisse de résonance insuffisante, alors que celui de son professeur est bien pourvu de cet élément indispensable à une bonne sonorité. Le héros avait eu deux précepteurs remarquables: Eumolpe et Dinus. Ce dernier subit un sort fâcheux. Il s'était moqué du jeu balourd du jeune athlète qui, furieux, assomma son bon maître à coups de lyre.

PLANCHE 130. – Hercule et Omphale (1).

Antoine Coypel (1661-1722). (Localisation actuelle inconnue).

En dépit de sa force, Hercule avait été subjugué par Omphale qui s'appuie avec nonchalance sur la massue, pendant que l'Amour s'apprête à percer d'une flèche le cœur du héros. Le demi-dieu ne joue pas de la lyre sacrée, mais de la mandore luthée (2), instrument féminin par excellence. Trois Cupidons sont chargés de la percussion avec un tambour de basque, des cymbales et une sorte de triangle ovale, ce qui est une curiosité organologique et un défi à la géometrie.

(1) Vente Grimaldi, Amsterdam, 4 et 5 déc. 1912, n° 11.
(2) Trichet, *op. cit.*, p. 153.

Vltima nec Regi uatum sit cura piorum,   Præstantes virtute viros sibi iungere tentet,   Sic urbes florere suas, atq̃ oppida cernet;
   Qui Regum æterno Carmine facta canunt.   Ac nunquam ingenijs spontè fauere neget.   Fama uolans illum sic super astra uehet.

J. Stradanus figura. Joā· sadeler scalp.

PLANCHE 131. – Apollon, dieu des Lettres, des Arts, et des Sciences (1).

J. Stradanus (Jan van der Straet, dit) (1523-1605), gravé par J. Sadeler.
B.N. Cabinet des Estampes.

Apollon, lauré et dont la tête est entourée de rayons, tient une lyre et un plectre. Près de lui, l'arc et le carquois. Sur le sol, les attributs des arts et des sciences: près d'une sphère zodiacale, un luth est couché sur un cahier de musique et un livre d'astrologie. Dans un édifice, à gauche, des étudiants travaillent, un maître professe, des alchimistes expériment (2), des astrologues consultent des livres près d'un globe. A droite, un peintre décore une maison. Au fond, autour d'une table chargée d'instruments de musique, une chorale est assemblée.

(1) Sur le caractère italianisant de cette gravure, cf. l'article de J. A. F. Orbaen: «Italie en de Nederlanden bÿ eenige prenten», *Fest Bundel D' Abraham Bredius*, 1915, pp. 215 et suiv.
(2) Les «enfants» d'Apollon se livrent à plusieurs occupations qui sont celles des «enfants» de Mercure.

PLANCHE 132. – Le Soleil – Apollon, planète astrologique.

       Ecole des Anciens Pays-Bas (fin du XVᵉ siècle).
       B.N. Cabinet des Estampes.

En haut, dans un médaillon, le soleil, «ami» de l'or, ayant le Lion pour maison zodiacale, ceint la couronne royale. Il tient le sceptre et un livre.

Sur terre, pour la première fois dans ce genre d'estampes, il est fait allusion au goût d'Apollon pour la musique. Un jeune monarque écoute un joueur de harpe, substitut de la lyre. Les «enfants» de la planète se livrent à des exercices corporels: jet de pierres, escrime avec des épées à deux mains, lutte. Un pélerin rend hommage à la statue d'un saint évêque.

PLANCHE 133. – Le Soleil – Apollon, planète astrologique.

Le Maître du Hausbuch (commencement du XVIᵉ siècle).
B.N. Cabinet des Estampes.

Dans le ciel, le Soleil, coiffé de la couronne impériale, tient un sceptre et chevauche un cheval portant un heaume curieux: il en existe un exemplaire comparable au Musée historique de Bâle. Comme toujours, ce grand artiste confère aux scènes terrestres une vie nouvelle. Les «enfants» de la planète se livrent à leurs exercices habituels. Pour le retour d'un jeune seigneur, qui tient encore son faucon, une fête est organisée et une collation préparée. Deux musiciens soufflent chacun dans une chalemie en gonflant leurs joues et un troisième dans une trompette au panonceau orné d'un soleil irradiant. Un luthiste, muni par surcroît d'un tambour de basque, attend son tour. Au fond deux amoureux chantent: un fou joue d'un cornet droit (?) pour ajouter une troisième voix ironique. A gauche, dans une chapelle, deux pélerins prient le Crucifié. Sur le pas de la porte, un mendiant sollicite des aumônes.

211

PLANCHE 134. – Le Soleil-Apollon et les trois Grâces.

Robinet Testard: enluminure pour les *Echecs Amoureux* (début du XVIᵉ siècle).
B.N. Département des Manuscrits.

Miniature d'une étrange beauté et d'un grand intérêt iconographique. Apollon, couronné, tient de la main droite son arc et trois flèches et pose la main gauche sur la console d'une harpe (1) dont la pointe rappelle encore la forme du Moyen Age. Aux pieds du dieu est couché un monstre à trois têtes, à la fois loup, lion et chien, qui avait été antérieurement un attribut du dieu égyptien Sérapis que Macrobe avait assimilé au soleil (2). A gauche, les trois Grâces dansent autour d'un arbre: Apollon était leur ami. Dans diverses sculptures, il les portait dans sa main (3).

(1) Pour Mercure le substitut de la lyre était l'orgue, pour Apollon c'était la harpe qui apparaît encore à ce titre au XVIIᵉ siècle. Cf. Almanach astrologique pour 1616, édité par J. Leclerc.
(2) *Saturnalia*, liv. I, chap. 20. Commentaire et bibliographie: Tervarent, *op. cit.*, col 375 à 378 et, en plus, E. Panofsky: *L'œuvre d'art et ses significations*, trad. française, N.R.F., 1969, pp. 262 à 274. Ce monstre signifie que le Soleil a vu le passé, voit le présent et verra l'avenir.
(3) Macrobe, *ibidem*, chap. XVII. Tervarent, *op. cit.*, col. 178.

Le quart des dieux du ciel
selon les anciens c'est apo
lo par lequel nous devons entedre
le soleil q' est le quart en lordon
nance des planetes' apres satne.

Cils apolo donc estoit figre a la
similitude de vng ieune homme q
toutesfois neantmoins aucunesfois
se monstroit soy ieune estre et
aucunesfois viel.   Il portoit

PLANCHE 135. – Vénus régnant sur les mois du Printemps (1589).

Hendrick Goltzius (1558-1616), gravé par J. Matham.
B.N. Cabinet des Estampes.

Sous les signes zodiacaux du Bélier, du Taureau et des Gémeaux, Vénus s'avance d'un pas de déesse et porte
une corbeille de fleurs. Au second plan, ses enfants jouissent du renouveau: ils dégustent un banquet en plein
air pendant qu'un luthiste accompagne une chanteuse et qu'un couple danse. Assis sur l'herbe, un barbon
caresse une beauté facile.

PLANCHE 136. – Vénus, la «Fleurie», régnant sur le printemps.

        Crispin de Passe (1589 ou 1593-1667).
        B.N. Cabinet des Estampes.

Toujours sous les signes du Bélier, du Taureau et des Gémeaux, Vénus tient un bouquet et prive Cupidon, qui pleure, de son carquois. En effet, au second plan apparaissent des abeilles, symboles de la douceur dans le gouvernement, conformément au vieux proverbe «le roi des avetz (abeilles) n'a esguillon» (1). A cette époque de l'année, Vénus entend régner de même. Au fond, un luthiste fait danser quelques couples.

(1) Cf. Le Roux de Lincy: *le livre des proverbes français*, 1859, t. I, p. 138 et Valeriano: *Hieroglyphica*, XXVI.
(2) Cf. aussi la gravure d'Adrianus Collaert, d'après M. de Vos, Vénus immobilisant la main de Cupidon tenant la flèche et, dans le paysage, les plaisirs du printemps (danse au son de la cornemuse, pêche, chasse, jeunes enfants s'apprêtant à se baigner).

PLANCHE 137. – Allégorie du mois de Mai.

Ecole flamande du XVIIᵉ siècle. Localisation inconnue.

Vénus parcourt le ciel dans un char tiré par des colombes et laisse tomber des fleurs. Cupidon, cette fois, n'est pas désarmé, et va décocher une flèche. Sur terre, au fond, dans la cour d'un château, des personnages exécutent une ronde joyeuse. En avant, sur un étang, des amours chevauchent des cygnes et jouent de la flûte à bec. A gauche, sous un arbre, portant des fleurs et des fruits, un repas très galant.

LES GÉMEAUX, LEURS «ENFANTS»
ET LA MUSIQUE

En Occident, dès la deuxième moitié du XIVᵉ siècle, quelques manuscrits astrologiques ont marqué les goûts musicaux des Gémeaux en faisant figurer dans l'illustration des «décans» certains instruments du Moyen Age. Cette documentation est d'autant plus précieuse pour l'organologie qu'avant le XVᵉ siècle de telles transcriptions graphiques sont rares.

Au XVIᵉ siècle, les «enfants» des Gémeaux exécutent parfois de la musique savante, telle que Mercure ou Apollon pouvaient la souhaiter. Néanmoins, déjà au XVᵉ siècle, les penchants amoureux des hommes nés sous ce signe les ont incités à donner de petits concerts galants en plein air, puis à les multiplier dans des parcs ou au cours de promenades en bateau. Sur ce point, ils ne se distinguent guère des «enfants» de Vénus. Il en va de même pour les allégories de Mai, ce mois étant l'un des préférés de la déesse. Ces tableaux, dessins ou gravures ont exercé une action notable sur l'évolution iconographique: ils ont facilité la formation du paysage en tant que genre distinct.

A la fin du XVIIᵉ siècle, les thèmes des Gémeaux, du mois de Mai et des jardins d'amour sont devenus très proches. Leur origine était d'ailleurs plus ou moins oubliée. Leur réunion a conduit à la création d'un genre nouveau: sous le pinceau génial de Watteau, ils prennent un charme poétique subtil, parfois teinté d'une ironie légère. Ils deviennent ainsi ces «Fêtes galantes» qui feront la délectation des amateurs pendant des siècles.

217

PLANCHE 138. – Les trois «décans» des Gémeaux.

Ecole flamande-bourguignonne, 2ᵉ moitié du XIVᵉ siècle (1).
Manuscrit astrologique latin (1). British Museum.

Document important pour la musique. Les deux premiers décans (période de 10 jours) reproduisent divers instruments du temps. En haut, à gauche, un personnage tient un *tympanum* (tambour de basque à sonnailles) dont le timbre est visible sur la peau. Il souffle dans un *calamum aureum* qui devrait être un flageolet à deux doigts, mais ressemble plutôt ici à un hautbois primitif. A côté, une vièle à archet: chevillier trilobé, manche indépendant, ouïes en C, chevalet placé presque contre le cordier. Pour le 2ᵉᵐᵉ décan, vièle analogue, d'un dessin moins soigné, et son archet en arc, avec deux boules aux extrémités, sans doute pour tendre la mèche. Les deux inscriptions figurant à tort au-dessus de la harpe se rapportent en réalité aux deux instruments qui précèdent. *Giga* désigne une sorte de rebec à 4 cordes et *lira* une vielle à roue, d'ailleurs mal dessinée.

(1) Pour la lecture des inscriptions, cf. Saxl et Meïer: *Verzeichnis astrologischer und mythologischer illustrierte Handschriften des lateinischen Mittelalters*, t. III, pp. 253-254. Nous remercions vivement Madame Bran-Ricci, Conservateur du Musée du Conservatoire, pour son aide dans l'identification de certains instruments de cette planche et de la suivante.

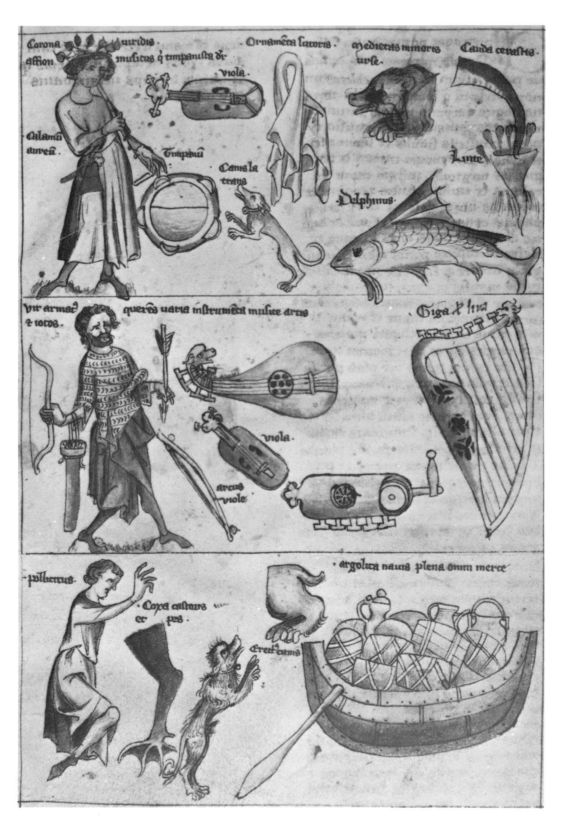

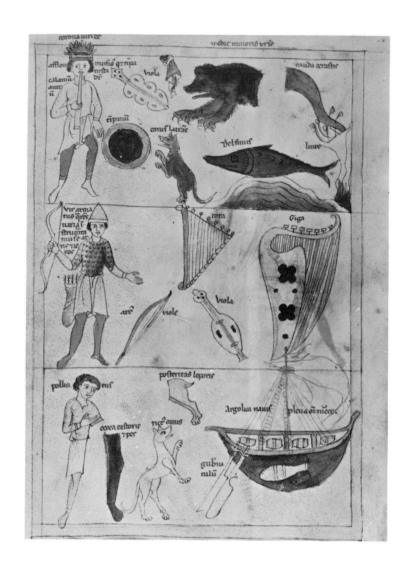

PLANCHE 139. – Les trois «décans» des Gémeaux.

Ecole flamande-bourguignonne (?), fin du XIVe siècle.
Manuscrit astrologique latin 7 330, fol. 12 v.
B.N. Département des Manuscrits.

Illustration inspirée de celle du British Museum, mais avec des variantes organologiques intéressantes. Le *tympanum* est schématisé ainsi que le «*calamum*». La vièle à archet, à 4 cordes, à chevillier losangé, présente une forme qui se retrouve dans diverses sculptures, mais, contrairement aux modèles habituels, la saillie du milieu est plus étroite et plus courte que celles d'en haut et d'en bas. Pour le 2ème décan, l'archet en arc est pourvu d'une poignée qui permet de le manier plus aisément. La vièle voisine, à trois cordes, à chevillier trilobé, est de forme ovale et le cordier se prolonge sur une sorte de socle. Au-dessous, une «*rota*» (1), harpe triangulaire dont la caisse de résonance était placée derrière les cordes (comme plus tard pour l'arpannette). Enfin, le copiste a laissé au-dessous de la harpe le mot de «*giga*» qui dans l'original correspondait à un instrument voisin, mais qui n'apparaît pas ici.

(1) Cf. Rowland Wright. *Dictionnaire des instruments de musique*, 1941, p. 148.

PLANCHE 140. – Les «enfants» des Gémeaux exécutant de la musique chorale et instrumentale.

Etienne Delaulne (1518-1595).
B.N. Cabinet des Estampes.

L'influence d'Apollon prédomine: dans le parc sont plantés des lauriers, attributs de ce dieu (Ovide, *Métamorphoses*, I, 557-559), et des palmiers, gages de succès dans les arts. Une fontaine à sources jaillissantes est peut-être une allusion à l'Hélicon. A gauche, deux femmes tressent des guirlandes de fleurs pour en faire des couronnes. Au centre, un poète lauré, tenant un luth, dirige l'exécution d'une chanson à quatre voix (deux femmes, deux enfants), suivie, sur une partition, par un homme étendu sur le sol. A droite, sous une tonnelle, un quatuor instrumental: une basse de viole et une harpe sont visibles au premier plan. Les montants de la bordure sont décorés de trophées d'instruments. A gauche: en bas, cornet, trompe et lyre; à droite: cornet et chalemie; au milieu luth et viole de gambe; en haut: instruments à vent.

221

PLANCHE 141. – Les «enfants» des Gémeaux fêtant le mois de mai.

> Etienne Delaulne (1518-1595).
> Musée du Louvre, Cabinet de Rothschild.

Composition simplifiée. Une femme cueille des fleurs, une autre en a rapporté une corbeille et une troisième a tressé une couronne. Au centre, une musicienne déchiffre un cahier de chansons en s'accompagnant sur un luth. Au second plan, autour d'une table, un quintette vocal. Au fond, un cavalier revient de la chasse, avec une femme en croupe sur son cheval: allusion à l'influence de Vénus.

PLANCHE 142. – Les «enfants» des Gémeaux et le mois de Mai.

> Ecole française, XVᵉ siècle. Heures de la duchesse de Bourgogne.
> Musée Condé, Chantilly. (MS nᵒ 76).

Dans cette charmante enluminure, l'action de Vénus domine. En bas, trois couples se promènent, suivis de deux musiciens jouant l'un de la chalemie, l'autre de la flûte à deux doigts et du tambourin. A droite, sous les Gémeaux qui se caressent, en présence de quatre personnes, une fiancée, coiffée du hennin et vêtue de blanc, reçoit la déclaration de son prétendant agenouillé.

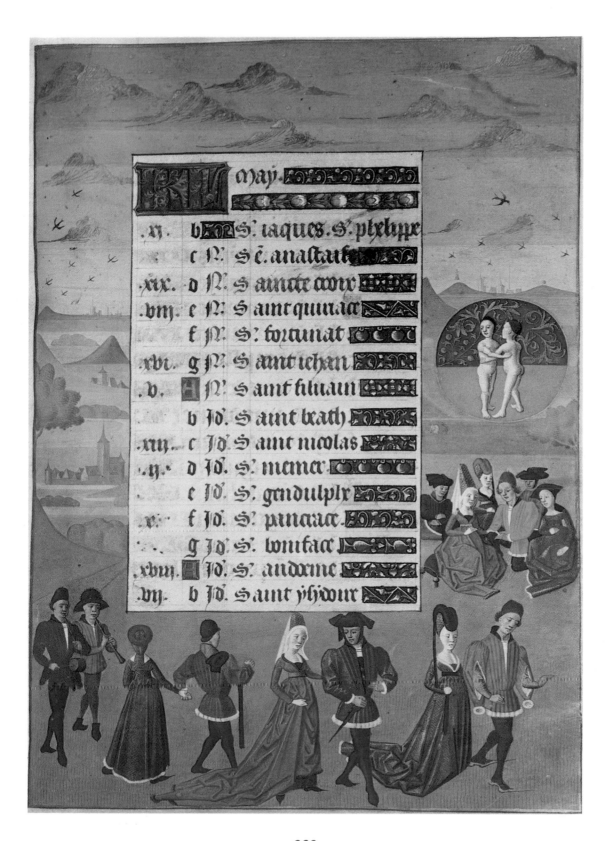

PLANCHE 143. – Les «enfants» des Gémeaux et le mois de mai.

Imitateur de Cellini: plat d'orfèvrerie.
Palais Pitti. Florence.

Composition riche en détails. L'espace est suggéré assez habilement. Au premier plan, une collation et une flûte. Un peu en arrière, un homme étendu s'appuie sur les genoux d'une femme: d'une main, il lui offre la coupe des plaisirs, de l'autre il tient une flûte. A gauche, la fontaine d'amour. A droite, un cahier de musique, une flûte traversière et un luth. Plus loin, un palmier ployé est attaché à un autre arbre, mais il se redressera un jour pour symboliser, dans ce cas, la victoire morale (1). Au fond, un couple regarde des danseurs.

(1) Cf. Tervarent, *op. cit.*, col. 296.

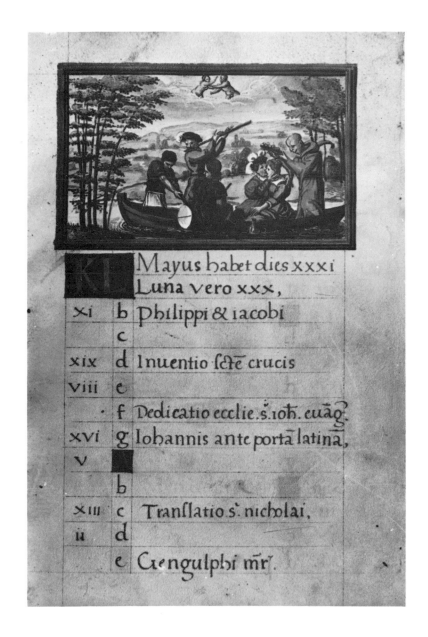

PLANCHE 144. – Les «enfants» des Gémeaux et le mois de mai.

Ecole française du XVIe siècle. Livre d'heures de Jean d'Achey.
Bibliothèque de Besançon.

Le thème de la promenade en barque et en musique a connu le succès dès le XVe siècle (1) et sera longtemps apprécié. Ici, un homme souffle dans une longue flûte traversière pendant que son compagnon néglige de se servir de son tambourin. Un moine compréhensif s'apprête à couronner un jeune couple qui s'embrasse.

(1) A titre de précédent, ce sujet a déjà été traité dans un livre d'heure du XVe siècle (école flamande), conservé aux archives de la Seo d'Urgel (photo Mas, F. 337). Le jeune homme joue de la flûte à bec, la femme bat la mesure et un troisième personnage joue du luth. L'exécution est de qualité moyenne.

PLANCHE 145. – Les «enfants» des Gémeaux et le mois de mai: la promenade musicale en barque.

    Martin de Vos (1535-1606), gravé par Crispin de Passe.
    B.N. Cabinet des Estampes.

Composition charmante, résolvant adroitement les problèmes posés par la forme ronde adoptée. Au premier plan, l'embarcation est décorée de branchages nouveaux, en l'honneur de Vénus. Au milieu, un joueur de flûte traversière concerte avec une luthiste, unissant ainsi deux instruments l'un monodique, l'autre polyphonique. En poupe, un jeune homme tente d'embrasser une femme qui lève la coupe des plaisirs. Sur le rivage, des couples partent en excursion dans un char à bancs, d'autres dansent et des jeunes gens tirent à l'arc pour atteindre l'oiseau attaché au sommet d'un moulin.

PLANCHE 146. – Les Gémeaux et le mois de mai.

        Josse de Momper (1564-1635).
        Rijksmuseum, Cabinet des dessins. Amsterdam.

Œuvre d'un graphisme léger. Au fond, dans le parc d'un château, des couples se promènent. A droite, au second plan, des chasseurs rentrent avec leur faucon sur le poing. Au centre, un couple est assis sur l'herbe: la femme essaie de charmer son compagnon en jouant du luth alors qu'il lui désigne les cavaliers qui ont poursuivi le gibier. Ce dessin (1) est un des prototypes des paysages utilisés pour cette allégorie.

(1) Gravé par Callot.

Ve qui puellæ simplici atq' candidæ,
Dulces labores vendis, et curas leves.

Perfide amans: Areas tibi favet, favet
Papilia, Soror furto, Olfser lingua, fide.

Sed vulnera cadaveri, curæ graves,
Duri labores, imminent et serii.

P. Stephani inuen

PLANCHE 147. – Les Gémeaux et le mois de mai.

        P. Stefani (fin du XVIe siècle), gravé par Sadeler.
        B.N. Cabinet des Estampes.

Une des nombreuses compositions représentant un vaste paysage où les enfants des Gémeaux jouissent du renouveau. A gauche un banquet très galant, largement arrosé de vin. Au centre, un couple heureux se promène, à droite un concert: chant accompagné par la harpe et le luth. Sur le sol, un étui à flûtes (1).

(1) Autre gravure, en sens inverse, de Thomas de Leu (1560-1612) d'un métier plus lourd.

PLANCHE 148. – Les Gémeaux et le Cancer ou Mai et Juin.

        Paul Bril (1554-1626), gravé par Sadeler.
        B.N. Cabinet des Estampes.

Parfois, deux mois étaient réunis, ce qui posait un problème de composition. A gauche, comme de coutume, au fond, la perspective du château et de son jardin et, en avant, une assemblée galante, près de la fontaine où l'Amour chevauche un dauphin. Deux musiciens jouent l'un d'un grand luth, l'autre d'une basse de viole. A côté, des femmes ont tressé deux couronnes. A droite, une barque va s'éloigner, emportant une chanteuse et un luthiste, ce qui convient à la fois aux Gémeaux qui aiment la musique et au Cancer (1) qui règne sur les eaux, comme le prouvent divers groupes au bord de la rivière.

(1) Le Cancer correspond, d'après l'astrologie, à la nature prête à engendrer et de vieilles traditions considèrent les eaux comme le milieu du monde en formation. Cf. *L'Œil*, Avril 1968, pp. 3 à 8.

PLANCHE 149. – L'amour paisible.

Antoine Watteau (1684-1721), gravé par Bernard Baron (1).
Musée du Louvre. Cabinet Rothschild.

Un des tableaux de Watteau où le souvenir des allégories des «enfants» de Vénus, des Gémeaux et du mois de mai reste encore perceptible. Près de la fontaine d'amour, dont la vasque est soutenue par deux faunillons, un luthiste (2) joue pour sa bien-aimée qui, charmée, lui tend une rose. Un peu plus loin, un jeune couple part pour une promenade sentimentale. A droite, deux fillettes ont cueilli des fleurs et taquinent un petit chien.

(1) Localisation inconnue du tableau depuis la vente de la collection Balback, en 1919. Cf. Mme Adhémar: *Watteau*, n° 126, p. 216.
(2) Au temps de Watteau, les luthistes avaient à peu près disparu en France, celui-ci a été emprunté par le Maître à un tableau des collections royales: *Fête donnée en l'honneur de la trêve de 1609*, par A. van de Venne. Cf. *Gazette des Beaux-Arts*, 1961, II, pp. 270 et 271.

PLANCHE 150. – Les Gémeaux ou le mois de mai.
Jau Bol (1534-1593). Cul-de-lampe.
B.N. Cabinet des Estampes.

231

TABLE DES ILLUSTRATIONS

PLANCHE   1   – Astrologia et Musica, détail des Arts Libéraux – Tableau de l'école flamande (fin du XVIᵉ siècle) – Musée Royal des Beaux-Arts, Bruxelles. Photo A.C.L.   4

PLANCHE   2 a. – L'échange de la lyre contre le caducée. Annibal Carrache, gravé par C. Cesio. B.N. Cabinet des Estampes. Photo B.N.   27

PLANCHE   2 b. – Foederis Signum. Illustration des Emblemi (1588) de Fabrici. B.N. Cabinet des Estampes. Photo B.N.   27

PLANCHE   3   – Mercure flûtiste. Gravure de Nicoletto de Modène. Musée du Louvre. Cabinet Rothschild. Photo. Service photographique des Musées Nationaux.   28

PLANCHE   4   – Mercure et Argus. Enluminure de Robinet Testard pour les Echecs Amoureux B.N. Département des Manuscrits. Photo B.N. (Couleurs).   29

PLANCHE   5   – Mercure tenant la carapace d'une tortue, détail du triomphe de l'Hiver, peinture d'Antoine Caron. Collection particulière.   30

PLANCHE   6   – Mercure passeur d'âmes et joueur de cistre. Sculpture d'Agostino di Duccio. Temple des Malatesta, Rimini. Photo Brogi-Giraudon.   31

PLANCHE   7   – Mercure, planète astrologique. Gravure du Monogrammiste B.H.S. B.N. Cabinet des Estampes (réserve). Photo B.N.   32

PLANCHE   8   – Mercure, planète astrologique. Gravure d'A. de Bruyn. Musée du Louvre. Cabinet Rothschild. Photo Service photographique des Musées Nationaux.   32

PLANCHE   9 a. – La constellation de la Lyre: Gravure de Jacob II de Gheyn. B.N. Cabinet des Estampes. Photo B.N.   33

PLANCHE   9 b. – La constellation de la Lyre. Ecole allemande vers 1490, dessin illustrant un traité d'astrologie. B.N. Département des Manuscrits. Photo B.N.   34

PLANCHE   10   – Carapace de tortue montée en guitare par Voboam. Musée instrumental du Conservatoire National de Musique de Paris. Photo du Musée.   35

PLANCHE   11   – Basse de viole au caducée (Hambourg, 1701), par Joachim Tielke. Copyright. Musée instrumental de Bruxelles. Reproduction du Musée.   37

PLANCHE   12   – Les «enfants» de Mercure. Ecole allemande (1ᵉʳ moitié du XVᵉ siècle). Illustration d'un manuscrit astrologique de 1445. Landesbibliothek, Kassel. Photo Warburg Institute. Londres.   41

PLANCHE   13   – Les «enfants» de Mercure. XVᵉ siècle. Enluminure de Cristoforo de Predis pour le Codice de Sphæra. Bibliothèque Estense, Modène. Photo Orlandini, Modène. . .   43

Planche 14 a. – Les «enfants» de Mercure. Gravure attribuée à Baccio Baldini (vers 1450). B.N. Cabinet des Estampes. Photo B.N. 44

Planche 14 b. – Les «enfants» de Mercure. Gravure d'après l'estampe de Baccio Baldini. B.N. Cabinet des Estampes. Photo B.N. 45

Planche 15 a. – Les «enfants» de Mercure. Gravure d'un Maître des Anciens-Pays-Bas (vers 1480). B.N. Cabinet des Estampes. Photo B.N. 46

Planche 15 b. – Les «enfants» de Mercure. Ecole des Pays-Bas (?). Illustration pour un manuscrit astrologique. Bibliothèque d'Oxford. Rawlinson. Photo Bodleian Library. Oxford. 47

Planche 16 – Les «enfants» de Mercure. Maître du Hausbuch (commencement du XVe siècle). B.N. Cabinet des Estampes. Photo B.N. 48

Planche 17 a. – Les «enfants» de Mercure. Gravure de Hans-Sebald Beham. B.N. Cabinet des Estampes. Photo B.N. 49

Planche 17 b. – Les «enfants» de Mercure. Graveur vénitien (XVIe siècle), édité par Gabriele Giolito de Ferrare. B.N. Cabinet des Estampes. Photo B.N. 51

Planche 18 – Les «enfants» de Mercure. Martin van Heemskerk, gravé par Harmen Muller. B.N. Cabinet des Estampes. Photo B.N. 52

Planche 19 – Les «enfants» de Mercure. Tapisserie. Atelier bruxellois, vers 1570. Bayerisches National Museum, Munich. Photo du Musée. 53

Planche 20 – Les «enfants» de Mercure. Martin de Vos, gravé par Johann Sadeler. B.N. Cabinet des Estampes. Photo B.N. 54

Planche 21 – Les «enfants» de Mercure. Peinture. Ecole flamande, 1er moitié du XVIIe siècle. Rijksmuseum, Amsterdam. Photo du Musée. 55

Planche 22 – Portrait de Gaspar Duiffoprugcar. Gravure de Pierre II Woeriot de Bouzey. B.N. Cabinet des Estampes. Photo B.N. 59

Planche 23 – L'échoppe de Jubal. Martin de Vos, gravé par J. Sadeler. B.N. Cabinet des Estampes. Photo B.N. 60

Planche 24 – «Tout mercier vante sa marchandise». Gravure de Peter Brueghel l'Ancien. Photo B.N. 61

Planche 25 – L'éventaire d'un luthier de Delft, peinture de Carel Fabricius. National Gallery, Londres. Photo du Musée. 62

Planche 26 – Adresse de luthier. Joseph Melling, gravé par Christophe Guérin. Musée du Louvre. Cabinet Rothschild. Photo Service photographique des Musées Nationaux. 63

Planche 27 – Le réparateur d'instruments, peinture par Karl Zewy. Coll. particulière. 64

Planche 28 – L'organiste coquette. Illustration d'un manuscrit astrologique allemand (vers 1490). B.N. Département des Manuscrits. Photo B.N. 65

Planche 29 – Frontispice du livre d'Arnold Schlick: Spiegel der Orgelmacher und Organisten, Mainz, 1511. Gravure de l'école allemande du début du XVIe siècle. Photo «Offentliche Kunstsamburg. Basel.». 66

Planche 30 – Organiste ornant un O majuscule. Gravure de Lukas Kilian. Staatliche Graphische Sammlung, Munich. Photo du Musée. 67

Planche 31 – Une représentation de Tabarin. Gravure d'Abraham Bosse. B.N. Cabinet des Estampes. Photo B.N. 68

Planche 32 – Portrait de Francesco Gabrielli. Gravure de Carlo Biffi. Bibliothèque Ambrosienne, Milan. Photo de la Bibliothèque. 69

Planche 33 a. – Portrait de Scaramouche. Gravure éditée par les Basset. Musée du Louvre. Cabinet Rothschild. Photo Service photographique des Musées Nationaux. 70

Planche 33 b. – Portrait de Scaramuzza. Gravure éditée par les Basset. Musée du Louvre. Cabinet Rothschild. Photo Service photographique des Musées Nationaux. 71

PLANCHE 34 – Mercure éveillant les Arts Libéraux à la fin de la guerre. Peinture par Lucas de Heere. Pinacothèque de Turin. Photo du Musée. 75

PLANCHE 35 – Mercure couronnant les Arts Libéraux. Peinture attribuée à Cornelis de Vos. Localisation inconnue. 76

PLANCHE 36 – Mercure, protecteur des Arts Libéraux. Gravure de Cornelis Schut. B.N. Cabinet des Estampes. Photo B.N. 77

PLANCHE 37 – Le Commerce et l'Industrie protégeant les Arts. Peinture de Jacob Jordaens. Musée Royal des Beaux-Arts, Anvers. Photo A.C.L. 78

PLANCHE 38 – Le Christ centre des Vertus et des Arts. Peinture de Jacques Blanchard. Bob Jones University, Greenville (S.C.). Etats-Unis. Photo du Musée. 79

PLANCHE 39 – Allégorie des Beaux-Arts, peinture de Francesco de Mura. Musée du Louvre. Photo Service photographique des Musées Nationaux. (*Couleurs*). 81

PLANCHE 40 – Armoire ornée de bronzes allégoriques: la Musique et l'Astronomie de Charles Cressent. Musée du Louvre. Photo Service photographique des Musées Nationaux. 82

PLANCHE 41 – Le Triomphe de Mercure. Fresque de Cosimo Tura et Francesco Cossa (?). Palazzo Schifanoia, Ferrare. Photo Anderson-Giraudon. 83

PLANCHE 42 a. – Vitrail allégorique, avec le caducée, pour Hieronimus Froben (1550). Musée historique de Bâle. Photo du Musée. 84

PLANCHE 42 b. – Sainte Anne, la Vierge et Jésus entre un ange luthiste et saint Paul. Gravure du «Maître au Caducée». (Jacopo de Barbari). B.N. Cabinet des Estampes. Photo B.N. 85

PLANCHE 43 – Les «enfants» de Mercure rendant hommage à leur père. Peinture de l'école italienne (1er moitié du XVIIe siècle). Staatliche Kunst Sammlungen, Dresde. Photo du Musée. 86

PLANCHE 44 – Les Beaux-Arts rendant hommage à Mercure (allégorie des Arts). Peinture de Pompeo Batoni. Francfort, Städelsches Institut. Bildarchiv. Photo. Marburg Kunstinstitut. 87

PLANCHE 45 – L'union pythagoricienne des Sciences. Frontispice par John Bettes. British Museum. Photo du Musée. 91

PLANCHE 46 – Révélation du Mystère des Teintures essentielles des sept métaux et de leurs vertus médicinales. Gravure de l'Ecole française du XVIIe siècle. Bibliothèque Sainte Geneviève, Paris. 92

PLANCHE 47 – La recherche de la Pierre philosophale et le concert des Muses. Ecole allemande du XVIIe siècle. Fronstispice du *Museum Hermeticum*. Bibliothèque du Museum d'Histoire Naturelle. Paris. Photo de la Bibliothèque. 93

PLANCHE 48 – L'âne Timon faisant danser les alchimistes. Ecole italienne, fin du XVIe siècle. Bibliothèque de la Faculté de Médecine. Photo Jeannequin. 94

PLANCHE 49 – L'adepte dans son studio. Hans Vredeman de Vries, gravé par Paullus van der Doort. Bibliothèque de la Faculté de Médecine. Photo Jeannequin. 95

PLANCHE 50 – Le souffleur dans sa cuisine. Peinture de Jan Steen. Collection particulière, en dépôt au Rijksmuseum Twenthe Enschede. Photo du Musée. 97

PLANCHE 51 a. – Le paon alchimique, Vénus et ses «enfants». Ecole allemande du XVIe siècle. Enluminure de *Splendor Solis* de Salomon Trismosin. Germanisches Nationalmuseum, Nuremberg. Photo du Musée. (*Couleurs*). 99

PLANCHE 51 b. – La Reine, Mercure et ses «enfants». Ecole allemande du XVIe siècle. Enluminure de *Splendor Solis* de Salomon Trismosin. Germanisches Nationalmuseum, Nuremberg. Photo. du Musée. (*Couleurs*). 101

235

PLANCHE 52 – Putréfaction et résurrection. Ecole française. XVIIᵉ siècle. Illustration pour «*l'Azoth ou le moyen de faire l'or caché des philosophes*» de Basile Valentin (1624). Bibliothèque de la Faculté de Médecine de Paris. Photo Jeannequin. 102

PLANCHE 53 a. – La Terre nourissant la Pierre. Gravure de Matthäus Merian. Illustration pour *Atalanta fugiens* (1618) de Michaël Maïer. B.N. (Imprimés). Photo B.N. 103

PLANCHE 53 b. – Fuga II commentant l'estampe. Photo B.N. 103

PLANCHE 54 – Mercure, dieu de l'Harmonie et de l'Abondance. Ecole flamande (?), fin du XVIᵉ siècle ou début du XVIIᵉ. B.N. Cabinet des Estampes. Photo B.N. 107

PLANCHE 55 – Allégorie de la Paix et les «enfants» de Mercure. Martin de Vos, gravé par Karel van Mallery. B.N. Cabinet des Estampes. Photo B.N. 108

PLANCHE 56 – Allégorie de l'Occasion. Peinture de Frans Francken II. Collection privée (Ecosse). Photo Tom Scott. 109

PLANCHE 57 – Allégorie de l'Occasion. Peinture de Frans Francken II. Musée Wawel, Cracovie. Photo Kolowca Stanislaw. 110

PLANCHE 58 – Allégorie de l'Occasion en Proche-Orient. Peinture. Atelier de Frans Francken II. Musée du Périgord. Périgueux. Photo R. Gauthier et ses fils. 111

PLANCHE 59 – Félicité de la Régence de Marie de Médicis. Gravure de Fornageris. B.N. Cabinet des Estampes. Photo B.N. 113

PLANCHE 60 a. – Félicité de la Régence. Peinture de Pierre-Paul Rubens (Histoire de Marie de Médicis). Musée du Louvre. Photo Service photographique des Musées Nationaux. 114

PLANCHE 60 b. – Détail: les «enfants» de Mercure. Musée du Louvre. Photo Service photographique des Musées Nationaux. 115

PLANCHE 61 a. – La Félicité du Royaume. Tapis de la Savonnerie, d'après un carton de Charles Le Brun. Musée de Versailles. Photo Service photographique des Musées Nationaux. 116

PLANCHE 61 b. – Détail: les instruments de musique entourant le caducée et les cornes d'abondance. Photo. Service photographique des Musées Nationaux. 117

PLANCHE 62 – Allégorie en l'honneur de Philippe d'Orléans. Ecole française, vers 1710-1720. Cabinet des Dessins du Musée du Louvre. Photo Service photographique des Musées Nationaux. 118

PLANCHE 63 – Vénus jouant du luth. Peinture attribuée à Micheli Parasio. Musée de Budapest. Photo du Musée. 121

PLANCHE 64 – Vénus et l'Amour. Gravure de Jan Collaert. B.N. Cabinet des Estampes. Photo B.N. 122

PLANCHE 65 – Allégorie de la Musique ou le choix de Vénus. Peinture de François Boucher. National Gallery of Art (Washington). Samuel H. Kress Collection. Photo du Musée. 123

PLANCHE 66 – Les «enfants» de Vénus. Ecole allemande, 1ᵉʳᵉ moitié du XVᵉ siècle. Manuscrit astrologique de 1445. Landesbibliothek, Kassel. Photo Warburg Institute, Londres. 124

PLANCHE 67 – Les «enfants» de Vénus. Ecole allemande vers 1490. Traité d'astrologie. Manuscrit allemand. B.N. Département des Manuscrits. Photo B.N. 125

PLANCHE 68 – Les «enfants» de Vénus. Enluminure de Cristoforo de Predis pour le *Codice de Sphaera*. Bibliothèque Estense, Modène, Photo de la Bibliothèque. 126

PLANCHE 69 – Les «enfants» de Vénus. Gravure attribuée à Baccio Baldini (vers 1460). British Museum. Photo du Musée. 127

PLANCHE 70 a. – Les «enfants» de Vénus. Gravure de l'Ancienne école des Pays-Bas (fin du XVᵉ siècle). B.N. Cabinet des Estampes. Photo B.N. 128

PLANCHE 70 b. – Les «enfants» de Vénus. Dessin colorié. Manuscrit astrologique du XVᵉ siècle. Oxford, Bodleian Library, Rawlinson. Photo de la Bibliothèque. 129

PLANCHE 71 – Les «enfants» de Vénus. Le Maître du Hausbuch (début du XVIᵉ siècle). B.N. Cabinet des Estampes. Photo B.N. 130

PLANCHE 72 – Les «enfants» de Vénus. Gravure de Hans-Sebald Beham. B.N. Cabinet des Estampes. Photo B.N. 131

PLANCHE 73 – Les «enfants» de Vénus. Graveur vénitien du XVIᵉ siècle, édité par Gabriele Giolito de Ferrare. B.N. Cabinet des Estampes. Photo B.N. 132

PLANCHE 74 – Les «enfants» de Vénus. Gravure de Virgil Solis. Musée du Louvre. Cabinet Rothschild. Photo service photographique des Musées Nationaux. 133

PLANCHE 75 – Les «enfants» de Vénus. Tapisserie. Atelier bruxellois, vers 1570. Bayerisches Nationalmuseum, Munich. Photo du Musée. 134

PLANCHE 76 – Les «enfants» de la Vénus charnelle. Martin de Vos, gravé par Johann Sadeler. B.N. Cabinet des Estampes. Photo B.N. 135

PLANCHE 77 – Les «enfants» de la Vénus domestique. Martin de Vos, gravé par Jan Collaert. B.N. Cabinet des Estampes. Photo B.N. 136

PLANCHE 78 – Vénus et ses «enfants». Gravure de Crispin de Passe. B.N. Cabinet des Estampes. Photo B.N. 137

PLANCHE 79a – Vénus et l'organiste. Peinture de Titien. Musée du Prado, Madrid. Photo Mas. . 141

PLANCHE 79b – Vénus et l'organiste. Peinture de Titien. Musée du Prado, Madrid. Photo Mas. . 142

PLANCHE 80 – Vénus et le luthiste. Peinture de Titien. Metropolitan Museum. New-York. Photo du Musée. 143

PLANCHE 81 – Vénus et la virginaliste. Peinture de Lambert Sustris. Rijksmuseum, Amsterdam. Photo du Musée. 144

PLANCHE 82 – Mars et Vénus. Peinture de Gillis Congnet. (localisation inconnue). 145

PLANCHE 83 – Vénus et le jeune luthiste. Gravure de Crispin de Passe. B.N. Cabinet des Estampes. Photo B.N. 146

PLANCHE 84 – Vénus et le joueur de flûte à bec. Peinture de sir Joshua Reynolds. (Localisation inconnue). 147

PLANCHE 85 – Le berger couronné. Peinture de Govaert Flinck. Collection particulière. 148

PLANCHE 86 – Le Concert champêtre. Peinture d'Antoine Watteau. Musée d'Angers. Photo J. Evers. 149

PLANCHE 87 – Vénus et le duo amoureux. Ecole franco-flamande (fin du XVIᵉ siècle). (Localisation inconnue). 150

PLANCHE 88 – Le repas de l'Enfant prodigue chez les courtisanes. Pieter Cornelisz van Rijck, gravé par J. Matham. B.N. Cabinet des Estampes. Photo B.N. 151

PLANCHE 89 – Le bain en musique par le Maître du Hausbuch (1ᵉʳ tiers du XVIᵉ siècle). Photo B.N. 152

PLANCHE 90 – Le bain et le repas galants en musique. Peinture de Hans Bock le vieux. Musée de Bâle. Photo du Musée. 153

PLANCHE 91 – Le bain de Vénus et de Mars. Palais du Té, Mantoue. Fresque de Jules Romain, gravée par Diane Ghisi. B.N. Cabinet des Estampes. Photo B.N. 154

PLANCHE 92 – Ronde antique autour de Vénus. Gravure d'un Maître florentin vers 1460-1470. Musée du Sérail, Istamboul, d'après la reproduction de Hind. B.N. Cabinet des Estampes. Photo B.N. 155

PLANCHE 93 – La danse lascive. Gravure de l'école florentine vers 1465-1482, d'après le livre de Hind. B.N. Cabinet des Estampes. Photo B.N. 156

PLANCHE 94 – La danse pour le prix. Gravure d'Israël van Meckenen. B.N. Cabinet des Estampes. Photo B.N. 157

Planche 95 — La danse de l'oeuf. Martin de Vos, gravé par Crispin de Passe. B.N. Cabinet des Estampes. Photo B.N. 158

Planche 96 — La danse, invention diabolique. Gravure d'A. Kohl. B.N. Cabinet des Estampes. Photo B.N. 159

Planche 97 — Avril ou le triomphe de Vénus. Fresque de Cosimo Tura et Francesco Cossa. Palazzo Schifanoia, Ferrare. Photo Anderson-Giraudon. 163

Planche 98 — Le mois d'avril. Ecole flamande-portugaise du XVIe siècle. Illustration pour le livre d'heures de don Manuel. Museu Nacional de Arte antiga, Lisbonne. Photo du Musée. 164

Planche 99 — Le mois d'avril ou le château de Versailles. Tenture des Maisons Royales. Carton de Charles Le Brun. Tapisserie des Gobelins. Mobilier National. Photo Mobilier National. 165

Planche 100 — Avril ou le Concert. Tenture des Mois Lucas. Tapisserie des Gobelins aux armes de Stanislas Leczinski. Mobilier National. Photo Mobilier National. 167

Planche 101 — Allégorie de la Musique. Peinture de Hans Baldung, dit Grien. Pinacothèque de Munich. Photo du Musée. 168

Planche 102 — Allégorie de l'Ouïe. Peinture de Jan Brueghel le vieux, dit «de Velours». Ancienne collection Stuijk (Anvers). Photo Palais des Beaux-Arts, Bruxelles. 169

Planche 103 — Vesper (le Soir). Karel van Mander, gravé par Jacob Matham. B.N. Cabinet des Estampes. Photo B.N. 170

Planche 104 — Le Soir. Hendrick Goltzius, gravé par J. Sanredam B.N. Cabinet des Estampes. Photo B.N. 171

Planche 105 — L'amour nocturne. Hendrick Goltzius, gravé par J. Matham (signé, daté 1615). Photo B.N. 172

Planche 106 — La fête nocturne. Peinture de Josse van Winghe. Musée Royal des Beaux-Arts. Bruxelles. Photo A.C.L. 173

Planche 107 — Allégorie de la Terre. Martin de Vos, gravé par Crispin de Passe. B.N. Cabinet des Estampes. Photo B.N. 174

Planche 108 — Les «enfants» de Vénus et le Sanguin. Gravure de Martin van Heemskerk. B.N. Cabinet des Estampes. Photo B.N. 175

Planche 109 — Le Sanguin. Martin de Vos, gravé par Peter de Jode à Venise. B.N. Cabinet des Estampes. Photo B.N. 176

Planche 110 a. — Le Sanguin. Joos van Winghe, incisé par un graveur anglais, chez Boothe. B.N. Cabinet des Estampes. Photo B.N. 177

Planche 110b. — Le Sanguin. Gravure de Jacob II de Gheyn le Jeune. B.N. Cabinet des Estampes. Photo B.N. 178

Planche 111 — Le Sanguin. Hubert-François Gravelot, gravé par Choffard en 1771. B.N. Cabinet des Estampes. Photo B.N. 179

Planche 112 — Calendrier allégorique, avec les Signes du Zodiaque, les Saisons et les Tempéraments, édité par Jean Lenfant. B.N. Cabinet des Estampes. Photo B.N. 181

Planche 113 — Le choix d'une vie: le jeune homme entre l'étude et le plaisir. Peinture d'Adriaen van Gaesbeck. Rijksmuseum, Amsterdam. Photo du Musée. 185

Planche 114 — Le choix d'une vie: trois folies des hommes. Peinture de Johann-Georg Platzer. Musée National de Varsovie. Photo du Musée. 186

Planche 115 — Voluptas. Ecole suisse (fin du XVe siècle). Illustration pour *Stultifera Navis* de Seb. Brandt. Bâle, Joh. Bergmann de Olpe, 1497. Bibl. de Colmar. Photo de la Bibliothèque. 187

Planche 116 — Le concert champêtre. Peinture de Giorgione et Titien. Musée du Louvre. Photo Giraudon. (*Couleurs*). 188

PLANCHE 117 – Le Concert champêtre: allégorie de la Volupté. Peinture de Frans Wouters. Musée de Dijon. Photo du Musée. 189

PLANCHE 118 – Lascivia. Martin de Vos, gravé par Raphaël Sadeler en 1592. B.N. Cabinet des Estampes. Photo B.N. 190

PLANCHE 119 – Crapula et Lascivia. Martin de Vos, gravé par Johannes Sadeler. B.N. Cabinet des Estampes. Photo B.N. 191

PLANCHE 120 – Allégorie de la Luxure. Peinture de Jérôme Bosch. Musée du Prado, Madrid. Photo Mas. 192

PLANCHE 121 – Allégorie de la Luxure. Dessin d'Urs Graf. Cabinet des Dessins du Musée de Darmstadt. Photo du Musée. 193

PLANCHE 122 a. – Allégorie de la Luxure. Tapisserie de Bruxelles, début du XVIᵉ siècle (tenture des Vertus et des Vices). Cathédrale de Palencia. Photo Mas. 194

PLANCHE 122 b. – Allégorie de la Luxure. Détail: le groupe des musiciens. Saragosse. El Pilar. Photo Mas. 195

PLANCHE 123 – Allégorie de la Luxure. Gravure de Lukas Kilian B.N. Cabinet des Estampes. Photo B.N. 196

PLANCHE 124 – Les maladies vénériennes. Christoph Schwartz, gravé par J. Sadeler. B.N. Cabinet des Estampes. Photo B.N. 197

PLANCHE 125 – Vanité avec Vénus et l'Amour. Hieronymus Lang. Vitrail héraldique du comte von Sulz. Musée historique de Bâle. Photo du Musée. (*Couleurs*). 199

PLANCHE 126 – Vanité avec «la Vénus au luthiste». Peinture de Pieter-Franz Isaaksz. Musée des Beaux-Arts de Bâle. Photo du Musée. 200

PLANCHE 127 – Danger d'une union avec Vénus. Emblème gravé par Crispin de Passe. B.N. Cabinet des Estampes. Photo B.N. 201

PLANCHE 128 – Gemini. Gravure de Jacques II de Gheyn. B.N. Cabinet des Estampes. Photo B.N. 205

PLANCHE 129 – Hercule apprenant à jouer de la lyre. Dessin de Nicolas Poussin. Cabinet des Dessins du Louvre. Photo Service photographique des Musées Nationaux. . . . 206

PLANCHE 130 – Hercule et Omphale. Peinture d'Antoine Coypel. (Localisation actuelle inconnue). 207

PLANCHE 131 – Apollon, dieu des Lettres, des Arts et des Sciences. J. Stradanus, gravé par J. Sadeler. B.N. Cabinet des Estampes. Photo B.N. 208

PLANCHE 132 – Le Soleil-Apollon, planète astrologique. Ecole des Anciens Pays-Bas (fin du XVᵉ siècle). B.N. Cabinet des Estampes. Photo B.N. 209

PLANCHE 133 – Le Soleil-Apollon, planète astrologique. Le Maître du Hausbuch (commencement du XVIᵉ siècle). B.N. Cabinet des Estampes. Photo B.N. 211

PLANCHE 134 – Le Soleil-Apollon et les trois Grâces. Robinet Testard: enluminure pour *les Echecs Amoureux*. B.N. Département des Manuscrits. (*Couleurs*). 213

PLANCHE 135 – Vénus régnant sur les mois du Printemps. Hendrick Goltzius, gravé par J. Matham B.N. Cabinet des Estampes. Photo B.N. 214

PLANCHE 136 – Vénus «la fleurie», régnant sur le Printemps. Gravure de Crispin de Passe: B.N. Cabinet des Estampes. Photo B.N. 215

PLANCHE 137 – Allégorie du mois de Mai. Peinture de l'école flamande du XVIIᵉ siècle. (Localisation inconnue). 216

PLANCHE 138 – Les trois «décans» des Gémaux. Ecole flamande-bourguignonne, 2ème moitié du XIVᵉ siècle: illustration pour un manuscrit astrologique latin. British Museum. Photo du Musée. 219

PLANCHE 139 – Les trois «décans» des Gémeaux. Ecole flamande-bourguignonne (?), fin du XIVᵉ siècle: illustration pour un manuscrit astrologique latin. Bibliothèque Nationale. Département des Manuscrits. Photo B.N. 220

PLANCHE 140   –   Les «enfants» des Gémeaux exécutant de la musique chorale et instrumentale. Gravure d'Etienne Delaulne. B.N. Cabinet des Estampes. Photo B.N.   221

PLANCHE 141   –   Les «enfants» des Gémeaux fêtant le mois de mai. Gravure d'Etienne Delaulne. Musée du Louvre. Cabinet Rothschild. Photo Service photographique des Musées Nationaux.   222

PLANCHE 142   –   Les enfants» des Gémeaux et le mois de mai. Enluminure des Heures de la Duchesse de Bourgogne. Musée Condé. Chantilly. Photo Archives photographiques. (*Couleurs*).   223

PLANCHE 143   –   Les enfants» des Gémeaux et le mois de mai. Imitateur de Cellini: plat d'orfèvrerie. Palais Pitti, Florence. Photo Alinari-Giraudon.   224

PLANCHE 144   –   Ls «enfants» des Gémeaux et le mois de mai. Ecole française du XVe siècle: illustration du Livre d'heures de Jean d'Achey. Bibliothèque de Besançon. Photo Archives photographiques.   225

PLANCHE 145   –   Les «enfants» des Gémeaux et le mois de mai: la promenade musicale en barque. Martin de Vos, gravé par Crispin de Passe. B.N. Cabinet des Estampes. Photo B.N.   226

PLANCHE 146   –   Les Gémeaux et le mois de mai. Dessin de Josse de Momper. Rijksmuseum, Cabinet des Dessins, Amsterdam. Photo du Musée.   227

PLANCHE 147   –   Les Gémeaux et le mois de mai. P. Stefani (fin du XVIe siècle), gravé par Sadeler. Photo B.N.   228

PLANCHE 148   –   Les Gémeaux et le Cancer ou mai et juin. Paul Bril, gravé par Sadeler. B.N. Cabinet des Estampes. Photo B.N.   229

PLANCHE 149   –   L'amour paisible. Antoine Watteau, gravé par Bernard Baron. Musée du Louvre. Cabinet Rothschild. Photo Service photographique des Musées Nationaux. . . .   230

PLANCHE 150   –   Les Gémeaux ou le mois de mai. Jan Bol. B.N. Cabinet des Estampes. Photo B.N. (cul-de-lampe).   231

INDEX

Baldini (Baccio): 11, 17, 39, 44, 45, 119, 127, 148.

Baldung (Hans, *dit* Grien): 168.

Barbari (Jacopo de): 85.

Baron (Bernard): 230.

Basset (les): 71.

Batoni (Pompeo): 87.

Beham (Hans-Sebald): 11, 49, 50, 52, 98, 100, 131, 133, 150.

Bettes (John): 90.

Biffi (Carlo): 57, 68.

Blanchard (Jacques): 79.

Bock (Hans le vieux): 153.

Bol (Jan): 231.

Bosch (Jérôme): 183, 192.

Bosse (Abraham): 68.

Botticelli: 10.

Boucher (François): 119, 123, 149.

Brandt (Séb.): 187.

Bril (Paul): 229.

Brueghel (Jan le vieux, *dit* de Velours): 169.

Brueghel (Jean): 55.

Brueghel (Peter l'ancien): 61.

Bruyn (Abraham de): 32.

Carrache (Annibal): 26.

Caron (Antoine): 30.

Cellini: 224.

Cesio (C.): 26.

Choffard: 179.

Cochin: 179.

Collaert (Jan): 122, 136, 215.

Congnet (Gillis): 145.

Cossa (Francesco): 83, 163.

Coypel (Antoine): 207.

Cressent (Charles): 82.

Delaulne (Etienne): 25, 221, 222.

Doort (Paullus van der): 94.

Dowland: 16.

Duccio (Agostino di): 31.

Duiffoprugcar (*ou* Tiefenbrucker): 58.

Dürer (Albert): 28.

Ecole allemande: 34, 41, 65, 93, 98, 100, 124, 125.

Ecole des Anciens Pays-Bas: 46, 47, 128, 209.

Ecole flamande: 26, 55, 106, 216, 225.

Ecole flamande-bourguignonne: 218, 220.

Ecole flamande-portugaise: 164.

Ecole florentine: 156.

Ecole française: 92, 102, 118, 222, 225.

Ecole franco-flamande: 150.

Ecole italienne: 86, 94.

Ecole suisse: 187.

241

Fabrici: 26.
Fabritius (Carel): 57, 62.
Flinck (Govaert): 148.
Floris (Frans): 10, 26.
Fornageris (Jacques de): 112, 115.
Francken II (Frans): 109, 110, 111.
Froben (Jérôme) (Frobenius Hieronimus): 84.

Gaesbeck (Adriaen van): 184.
Gheyn le Jeune (Jacob II de): 33, 178, 205.
Ghisi (Diane): 154.
Giolito (Gabriele) de Ferrare: 11, 50, 133.
Giorgione: 188, 189.
Goltzius (Hendrick): 137, 171, 172, 173, 214.
Graf (Urs): 193.
Gravelot (Hubert-François): 179.
Grien (dit: voir Baldung, Hans).
Guérin (Christophe): 63.

Heemskerke (Martin van): 12, 52, 175.
Heere (Lucas de): 75.

I.B.: voir Bettes, John.
Isaaksz (Pieter-Franz): 200.

Jode (Peter de): 176.
Jordaens (Jacob): 19, 78.

Kilian (Lukas): 67, 196.
Kohl (A.): 159.
Kunrath (H.): 94.

Lang (Hieronymus): 198.
Le Brun (Ch.): 15, 105, 117, 165.
Lenfant (Jean): 180.

Maier (Michael): 103.
Maître du Hausbuch: 11, 30, 152, 210.
Mallery (Karel van): 108.
Mander (Karel van): 170.

Matham (Jacob): 151, 170, 172, 214.
Meckenen (Israël van): 66, 157.
Melling (Joseph): 63.
Merian (Matthäus): 103.
Momper (Josse de): 227.
Monogrammiste B.H.S.: 32.
Muller (Harmen): 52.
Mura (Francesco de): 80.

Nazari (G.B.): 94.
Nettesheim (Cornelius Agrippa de): 9.
Nicoletto de Modène (Nicolo Rosa, dit): 28, 32.

Parasio (Micheli): 120.
Passe (Crispin de): 54, 137, 146, 158, 171, 174, 201, 215, 226.
Pippi (Giulio di Pietro di Gianizzi), dit Giulio Romano: voir Romain, Jules.
Platzer (Johann-Georg): 186.
Poussin (Nicolas): 206.
Predis (Cristoforo): 42, 126.

Reynolds (sir Joshua): 147.
Rijck (Pieter Cornelisz van): 151.
Romain (Jules: voir Pippi, Giulio, dit): 154.
Rosa (Nicolo, dit: voir Nicoletto de Modène).
Rubens (Pierre-Paul): 15, 19, 115.

Sadeler (Johannes): 54, 60, 135, 191, 197, 208, 228, 229.
Sadeler (Raphaël): 190.
Sanredam (J.): 171.
Schut (Cornélis): 10, 77.
Solis (Virgil): 133.
Steen (Jean): 96.
Stefani (P.): 228.
Stradanus (J.) (Jan van der Straet, dit): 208.
Straet (Jan van der, dit: voir Stradanus, J.).
Sustris (Lambert): 144, 197.

Tapisserie (Ateliers de Bruxelles): 53, 134, 194.
Testard (Robinet): 29, 212.

Tiefenbrucker: *voir* Duiffoprugcar.
Tielke (Joachim): 36.
Titien: 139, 141, 142, 143, 144, 145, 147, 188, 200.
Trimosin (Salomon): 98, 100.
Tura (Cosimo): 83, 163.

Valeriano: 142.
Voboam: 35.

Vos (Martin de): 54, 60, 76, 108, 135, 136, 158, 174, 176, 190, 191, 215, 226.
Vries (Hans Vredeman de): 94.

Watteau: 19, 149, 189, 217, 230.
Woeiriot de Bouzery (Pierre II): 58.
Wouters (Frans): 189.

Zewy (Karl): 64.

TABLE DES MATIERES

Les rapports de l'Astrologie et de la Musique	9
Mercure et la Musique	13
Vénus et la Musique	16
Les Gémeaux et la Musique	18
Memoria manet	20
Bibliographie	22
Mercure, dieu musicien et planète astrologique	25
Les «enfants» de Mercure	39
Sujets dérivés des «enfants» de Mercure	57
Mercure protecteur des Arts et père des artistes	73
Musique et «astrologie d'en bas» ou alchimie	89
Mercure et ses «enfants» dans les allégories de l'Occasion et du bon Gouvernement	105
Vénus, déesse musicienne, et les enfants de sa planète	119
Les sujets dérivés des «enfants» de Vénus	139
Les extensions du thème de la Vénus astrologique	161
Les maléfices de la planète Vénus	183
Les dieux musiciens protecteurs des Gémeaux	203
Les Gémeaux, leurs «enfants» et la Musique	217
Table des illustrations	233
Index	241

Achevé d'imprimer
le mois de novembre 1977
par STADERINI S.p.A.
Via dei Castelli Romani, 79
Pomezia ITALIE